Billy Cowie

This Warld Unstabille

First Published 2020
by idiolect,
92 Centurion Road,
Brighton,
East Sussex,
BN1 3LN

cover photo James and Mary Cowie

© Billy Cowie 2020

All rights reserved. No part of this book may be reprinted, reproduced or transmitted in any form or by any means, electronic or mechanical, including photocopying, recording or by any information storage and retrieval system, without the written permission of the Publisher, except where permitted by law.

ISBN-13 978-0-9554004-6-9
ISBN-10 0-9554004-6-5

Printed and bound by TJ International Ltd, Padstow

for Beth

I seik about this warld unstabille
To find ane sentence convenabille,
Bot I can nocht in all my wit
Sa trew ane sentence fynd off it
As say, it is dessaveabille.

William Dunbar

Ah've goat a theory tha when yi die an yir life flashes afore yir een there's a few comedy moments popped in as yi'r driftin awa – like in them filums tae keep yi frae rushin fae the door – keep youse in yir seats fae the credits – maybe a few bloopers, oot-takes, bits whaur yi startet laffin an couldnae stap. Ah think tha's whit'll happen, ah'm lookin forward tae it. Yi needs a laff at a moment like tha.

Furst Contact

Ah wis lyin at the side oh the Western Baths at Hillhead dunkin ma han in an oot oh the pool ower an ower agin an sayin,

'Wet, no wet, wet, no wet,' like some wattery Wittgenstein when she pulled up wi her cheesy breaststroke.

She grabs the bar roun the edge oh the pool an says,

'Whit youse daein?'

Ah looks doon thru the watter an sees she is wearin a sparkly red swimsuit some sizes too large.

'Nice cosy. Bit big fur yi?'

She stretches oot frae the pool wall makin her body straight.

'Ah'm growin intae it, yi didnae say whit yi wis daein.'

'Poolside philosophy,' ah says.

She nods,

'Tha sounds grand. Kin ah play too?'

'It's no a game, lassie, it's a serious business.'

She maks a face,

'Kin ah *participate* then?'

'It's awfy complicatet.'

'Ah'm no as daft as ah look.'

'No sayin much.'

'Cheeky bugger.'

She maks as if tae push aff an looks a wee bit sad. Ah'm a sucker fur a sad face sae ah says tae her,

'Go oan then. Ah may regret this mind.'

Ah puts ma han intae the pool an then pulls it oot oh the watter an asks her,

'Is ma han wet?'

'Course it is, ah'm nae tha stupit.'

Ah put the han intae the pool agin an leave it under,

'An noo?'

She scrunches up her face, yi kin see the cogs turnin. Eventually she cams oot wi,

'No, it's no wet, no really.'

'Sae yi thinks the pool has dried ma han?'

She shrugs, 'mebbe?'

Oot oh the watter agin.

She says quick,

'Wet. How'ma daein?'

'Guid so far. But this is the tricky part the noo. Imagine yi are the han an the pool is life. Whit daes tha tell youse?'

Back tae thinkin mode she gaes. Finally she cams up wi,

'If youse wants tae ken whit life is really like, tae be wet wi life, then youse has tae stan ootside oh life itsell?'

'Exactamenti.'

She is still thinkin,

'But hoo kin yi dae tha, stan ootside oh life?'

'Tha's whit ah wis wurkin oan when youse interrupted me,' ah says.

'An?'

'An the thread's awa.'

'Ah'm sorry.' She maks her sad face agin.

'It'll come back, dinnae youse worry yirsell,' ah says.

She shakes her shoulders,

'Ah'm perished.'

'Wid youse be wantin a cup oh tea?'

'Aye, tha wid be rare.'

'Ah'll see youse in yon cafe place in ten minutes?'

She nods an pushes aff an swims across the pool, her backstroke as useless as her breast.

Fifteen minutes later she cams intae the cafe place. It's mair like a bar than a cafe but ah've managed tae get us a pot oh tea an a wee silver jug oh milk. She's a rolled up towel oot oh which is pokin her red cosy an she has a kindae shoulder bag. She puts them baith oan the table. Ah pour her tea an offer her the milk.

'Thir's posh,' she says. 'Ah've niver bin in here afore. Is it no weird them sellin alcohol at a pool?'

'Aye. Ah wis jist wonderin whit it wid be like swimmin if youse wis smashed.'

'Nice mebbe, but dangerous. They widnae let youse in the watter onyways. Here, wait a sec, ah think yi'll like this.' She sterts fishin aroun in her shoulder bag an pulls oot a bit oh crumpelt newspaper. She smooths it oot oan the table an sterts readin,

'Norwegian polis tracked doon the thief whae stole thri paintins frae wan oh the main galleries in Oslo. In a thri hoor standoff the culprit consumed wan oh the pictyers. He later died in hospital frae mercury an cadmium poisinin. The name oh the artist whase paintin wis lost fur iver wis Edvard Munch.'

She is shakin wi laffter sae much she kin hardly get the lest sentence oot. Ah stert laffin an aw, she nearly faws oan the flair an ah nearly knocks ower the teapot. A wuman gies us a look. Efter wi'v calmed doon ah says,

'Yi should niver let correct pronunciations get in the ways oh a guid laff.'

In aw the commotion some oh the red sequins has fawen aff her costume ontae the table.

'Youse must be popular wi the pool people wi tha costume oh yours, yi'r moultin,' ah says.

'Aye, they keeps tellin me aff, *youse is cloggin up oor filters wi they sparkly bits.*'

She picks up wan oh the red sequins an pops it oan her clased eyelid.

'Whae's this? *Ah'll be back, ah'll be back.*'

'*Hasta la vista baby,*' ah replies.

She sterts laffin agin but the wee sequin pops intae her een an she sterts screamin.

'Haud still lassie,' ah tells her. Ah flicks the wee thing oot oh her een wi the corner oh a napkin. She sits there blinkin dazed like.

'Ah see yi'r nae used tae contacts then?' ah says.

'Aye, ma furst contact an it hastae be made oh mettal.'

She jumps up,

'Jings, is tha the time, ah'm aff.'

She passes me a wee red flier sayin,

'Jist if yi'r free, mind, ah'm oan the morn.'

She grabs her stuff an is oot the door. Ah examine the flier carefu like, it is fae the Kelvin Komedy Klub fae the next day.

War oh the Wurds

Ah gets tae the Komedy Klub aroun nine. Ah'm nae awfy guid wi crowds yi ken. Ah stan ootside fae five minutes wondren whether tae gae in or no. Ah'm jist aboot tae gae back hame when ah sterts thinkin maybe ah niver sees her agin. She's niver bin tae the pool afore, far as ah ken, an ah dinnae even ken her name. In the end ah taks a deep breith an gaes in. Ah neednae hae wurried aboot the crowds, there's maybe ten people in the audience an a guy in a fitbaw shirt at the mic. Ah sits doon at the bar an asks the barguy,

'Has a wee lassie bin oan yet?'

'Yi means Mads?'

'Aye, probably.'

'Nah, she's oan next. Whit're youse havin?'

Ah orders a pint oh heavy.

Sure enough she's next, wearin a wee black dress. Looks

nice but ah'm nae sae sure it's comedy frienly. She gaes tae the mic an looks aroun the room,

'Ah'm really scared up here, ah'm terrified, ah'm shakin in ma boots, even ma system is nervus.'

She waits fur a response. None cams. She soljers oan.

'Ah wis walkin past a field oh cattle the ither day, they looked pretty sad, their heids were aw cowed.'

Nuthin. Absolute zero.

'Ah wis eatin oot lest night at this posh place an they offert me some primordial soup tae stert wi, ah askt wis it fresh? An they says no exactly.'

Even less than nuthin if tha is possible, it's like the audience is suckin negative energy oot oh the air. She disnae seem bothert mind an carries oan.

'Did Jesus iver gain ony abdominal flexibility frae the Pilatus Methud?'

Back tae normal nuthin. A laddie near the front is fidgitin aroun.

'Me an ma boyfrien went up tae Aberdeen lest Christmas. It wis freezin, Baltic. Luckily while wi wis up there wi hed a heated argument.'

A few laffs this time but thae quickly dies oot. The laddie near the frunt tha wis fidgetin noo shouts oot,

'Youse are shite, awa hame.'

She puts oot baith her hans wi her twa middle fingers bent, like thae devils horns.

'Ah'm warnin youse,' she says direct tae the laddie in the frunt.

'Whit youse gonnae dae?' the lad shouts back.

'Lest chance,' she tells him.

'Youse an yir mammy.'

She brings the fingers thegither in frunt oh her an her hans stert shakin an she maks this whooshen soun an the wee laddie faws tae the ground haudin his heid in his hans an screamin. He manages tae get up an staggers tae the door still haudin his heid. At the door he shouts back at her,

'Yi'r mental yi are,' an disappears.

She turns back tae the shocked audience,

'Ony mair fur ony mair?'

No a peep frae them. She soljers oan wance mair,

'Dis polis sirens taunt them an tease them an lure them tae their deaths?'

A few mair laffs than afore, mebbe oot oh fear?

'Oan Friday nights daes baby seals like tae gae clubbin?'

Ah kin see she is aboot tae caw it a night.

'Ok, afore ah gaes ah wis wonderin if ony oh youse kens wha's won the race?'

She looks them up an doon an wan oh the audience caws oot,

'Whit race, lassie?'

'The human race,' she says. There's a groan frae the audience an Mads maks her getaway oan tha high note.

A bit later she cams an sits next tae me at the bar.

'Ah didnae think youse wid come,' she says.

'Aye well, no much oan the telly Tuesday nights.'

'Ah'll bet youse wis standin ootside the club fae ten minutes tho?'

'Whit?'

'Youse did, didnae yi?'

'Whae are yi, Sherlock Holmes? It wis five minutes if youse must know.'

'Ah kent yi wis an Aspe.' She claps her hans.

'Whit?'

'An Aspe, Asperger's.'

'Ah'm no.'

The barguy cams up an ah offer her a drink.

'Ah'll get these,' she says, 'ah'm oan a tab. A pint oh heavy fae me an wan fae ma Aspe frien here.' He gets the beers smiling.

'Ah tellt yi ah'm no wan oh they Asperger's.'

'Ok, dis youse aways look at car number plates fae wurds an such?'

'Iverybidy daes tha.'

'Course they daes, nut. Yi'r walkin doon Buchanan Street an twa people are talkin an laffin loud ahint youse, yi haftie stap an look intae a shop windae tae let them get past?'

'Maybes.'

'Youse are walkin thru a store an in yir mind there is a wee flight controller sayin speed up tae avoid this person, turn left a bit.'

'Ok, ok. Youse must be wan tae if youse kens sae much aboot it?'

'Course ah am. Ah've even goat a certificate tae prove it.'

'Frae a doctor?' ah asks.

'Aye, a heid doctor. He says tae me *ah'm sorry miss but yi has Asperger Syndrome.* Ah says tae him *is tha why ah look a bit green an ma pee smells funny?*'

'Yi should be oan the radio wi stuff like tha,' ah says.

'He did gie me wan useful bit oh advice tho, yon doctor.'

'Whit?'

'He says when yir aw stressed, say like youse were ootside the club the night, tae sing a wee sang tae yirsell.'

'Whit sang?'

'He recommended this wan,

Batnabaw pingpong baw,

batnabaw pingpong baw,

batnabaw pingpong baw,

bat an baw.... pingpong baw.'

She sings it tae the tune oh yon *Willium Tell Overture*. She's goat a nice wee reedy singin voice.

'Dis it wurk?' ah says.

'Ivery time, yi should try it oot yirsell.'

'Ah'll gie it a go.'

She taks a sip oh her heavy.

The next comediun cams oan. He's wearin a fitbaw shirt too. Mebbe we'll mak a team at this rate. Wi watches him fur a few minutes an then ah asks her,

'Is yir name Mads? The barguy said.'

'Aye, it's short fae Madeleine. Whit's yir name?'

'Art.'

'Whit? Like yon Art Garfunkel?'

'If youse likes.' Tae be honest ah'm nae overly fond oh ma name.

She sterts singin *Like a Bridge ower Trubled Watter.*

The next act is no impressed.

'Hey pipe doon lassie, youse hed yir turn.'

Mads maks a face oh sorry an zips her mooth shut. She carries oan softly,

'There's an Art in some book ah read, he's a wee kid whae hangs roun wi some auld guy, Hector ah thinks, ah stole the human race joke oot oh tha book. Whit did youse think oh ma show onyways?'

'Nae sae sure aboot the dress, nae very comedy.'

She looks doon.

'Aye, ah couldnae find ma fitbaw shirt the night.'

'Ah wisnae thinkin oh a fitbaw shirt, jist somethin a wee bit less black? But ah'm nae fashion expert yi ken.'

'Ah sees tha,' she says lookin me up an doon.

Ah lets tha pass an gets back tae the comedy.

'But ah thocht yi wis pretty funny masell.'

'Theys laffed when ah said ah wis gonnae be a comediun. Thiy're nae laffin the noo,' she says.

'Youse stole tha line frae Bob Monkhoose.'

'Aye, but gies yir honest opinion aboot the show.'

'Ah think it went ower this lot's heids, especially tha lad near the end.'

She puts her hans tae her heid an imitates him soft like,

'*Youse an yir mammy.* Tha reminds me, ah've goat tae gae find him at the Kings Heid tae pay him an gie him his feedback.'

'Whit dis yi mean feedback, wis youse twa in this thegither?'

'Course. He wisnae bad wis he? He studies actin at the college.'

'Had me fooled awright.'

'Better be aff then.' She doons her pint an gies me a wee wave an is oot the door afore ah kin think oh onythin tae say.

The Abyss

The next twa weeks efter the Komedy Klub ah cannie get her oot oh ma mind. Ah'm wanderin roun like a zombie. Ah tries the swimmin pool a few times. Nuthin.

The third week ah gaes back tae the Komedy Klub. Even less people than afore an yit anither comediun in a fitbaw shirt, mebbe it's compulsory wear. Ah asks the barguy if he's seen Mads agin.

'Nah,' he tells me. 'She jist cam in the wan time afore tae check oot the venue an then the night yi wis here. She's nae bin back since.'

'Ony idea whaur she lives?' He shakes his heid.

Ah think oh trying the Kings Heid. The fourth time there ah see the wee guy tha acted wi her but he's wi a group oh friens aw laffin like sae ah dinnae says onythin tae him. Ah hangs aroun fae the evenin but she disnae show.

Wan guid thing tae come oot oh aw this drinkin ah'm daein in the search is tha ah've made a braw new inventiun. It's a wee telephone thingy tha when youse wakes up wi a terrible hangower youse kin phone up yirsell frae the night afore. The conversatiun wid gae a wee bit like this.

'Oh hello.' This is youse the noo.

'Whase this callin?' This is youse frae the night afore.

'Oh it's yirsell frae the future, tomoro efternoon tae be exact.'

'Whit're youse wantin, ah'm awfy busy?'

'Well ah've goat an awfy bad hangower here?'

'Nae ma problem, pal.'

'Well it will be tomoro.'

'Nae, tha's yir problem, nae mine.'

Jist then wi'r baith gettin a community call oan the line. Turns oot it's oorsells frae twa years in the future. This new wan oh us is bangin oan aboot the auld sir-hosis an wantin us baith tae stap drinkin completamenti or itherwise he's a goner. Well wi baith cuts him aff pretty sharpish an gets back tae the matter in han.

Me frae the day efter says,

'Ma heid's killin me, put the bottl doon, ah'm beggin yi, please.'

'Ok, ah'll agree but oan wan condition.'

'Onythin, onythin.'

'Ok, ah'll put it doon if youse tells me whase wun the Gran National?'

'Oh man ah cannie dae tha, it wid destroy the space time continuum.'

'Ah'm pourin, ah'm pourin.'

'Ok, ah'll tell youse. It wis XXXXXXX' (editor's note

this name has bin removed in case the publication date is afore the events in the story).

Ah think it'll catch oan, ah've jist goat tae wurk oan yon electronics side oh things.

Onyways, yi ken when yi'r tryin tae remember somethin an yi cannie, like a name or whitever, somethin really obvious? Yi really should ken it but it seems like the informatiun is hidin roun a corner in yir mind, jist oot oh sicht. The mair yi think aboot it the less chance yi hiv oh rememberin it. Then, if yi kin think aboot somethin else fur a whiles, it pops up frae naewhere. Memries are sometimes like wee scared animals, youse has tae trick them oot oh hidin. Tha's hoo it wis wi lookin fae Mads. Wan day am wanderin doon Sauchiehall Street nae thinkin oh her ataw an there she is in MacDonald's, sittin at the wee counter by the windae wi a portion oh fries. Ma heart beatin ah gaes in an sits next tae her.

'Hello youse,' ah says casual like.

'Hello yirsell,' she dips wan oh her fries in a wee pot oh ketchup.

'Still in the comedy line?'

'Nah, no really. It wis jist an experiment.' She looks at the clock oan the wa, an pops the frie in her mooth, 'ah've goat tae go in five minutes, ah'm jist oan ma lunch break.'

'Whaur daes youse wurk?'

'Tha music shop up near the gardens.'

'Youse musical?'

'Nah, no really.'

'Sae how cams youse wurks in a music shop?'

'Aw youse needs tae dae is scan yon bar codes when they

buys somethin an mak sure nuthin gets nicked.'

'Youse caught ony shoplifters?'

'Course nut. Whase gonnae gae intae a pub in Glesgae wi some Beethoven Piani Sonatas an say onywan gies a fiver fae these, Urtext mind? Nah, the shoplifters thiy're aw busy doon Dixons an Carphone Warehoose helpin themselves.'

She is standin up an slurpin doon the lest oh her coke, ah hav tae dae somethin fast or ah'm oot oan ma ear agin.

'Dis youse want tae gae fae dinner the morn?' ah asks.

'Whit, somethin mair fancy than this ah'm hopin?'

'Aye ah wis thinkin oh Burger King.'

She laffs.

'Ok, see youse ootside Central at sevin thirty the morn.'

'It's a date,' ah says.

'S'no a date, it's jist dinner, mind.'

'Whitever youse says.'

She pushes the fries across tae me.

'Here, youse kin finish these.'

Ah watch her gae up the street thru the windae. Ah eat the fries, ah'm suddenly famisht.

Close Encoonters oh the Thurd Kind

Next mornin ah'm petrified aboot the non date an the way ah'm lookin an aw. Ah needs some advice sae ah asks ma style guru Mario. He wurks wi me in telesales, except he is guid an ah'm no. He puts oan this Italian accent tha aw the ladies luv tho he's niver iver bin tae Italy, in fact the furtherest south he has iver bin is East Kilbride, in dubble fact his real name s'no Mario but Callum. In triple fact he caws the ladies MILPS, in ither wurds muthers ah'd like tae phone. The Italian malarkey seems tae dae the trick tho an he gets aw the bonuses. He's a bit like yon cookin guy in yon Gregory's Girl filum, yi ken, but ah'm no wantin youse tae think ah'm as glaekit as yon Gregory mind.

Wi gaes oot fur a fag at oor mornin break, well he has a fag an ah eats a tangerine, ah dinnae smoke ony mair, an ah tells him aboot ma situation an he gies me the wance ower.

'Ah'm guessin youse dinnae want tae spend a pile oh money, dis yi?' Mario disnae waste his fancy Italian accent oan me oh course.

'Cannie spend whit youse hasnae goat,' ah says.

He puts his heid oan wan side lookin carefu at me, 'maybes yir hair?'

'Ah'm no awfy keen oan hairdressers.'

'Ah kin see tha aw richt. Whit aboot a wee hair band?'

'Like a pony tail thingy?' Ah'm stertin tae feel nervus.

'Aye.' Hang oan. He gets oot a paper clip an straightens it oot. Then wraps it roun the back oh ma heid. He stans back an screws up his face.

'Nae bad. Nae bad at aw. Gies yi a bit oh style.'

Ah try tae see ma reflection in a windae.

'Yi cannie use a paper clip mind, yous'll hiv tae get a proper band.'

'Whaur frae?' ah asks.

'Accessorize, there's wan in Buchanan Galleries, yi'll find wan in there nae bother.'

Ah gaes intae thay Galleries at six. Ah'm standin ootside oh Accessorize, there's no a load oh guys in there, a few at the door lookin intae their mobiles obviously waitin fae their girlfriens but tha's it. This is a guid Aspe test fae me ah thinks an ah plunge in. Wan shop gurl asks if she kin help me but ah says ah'm jist lookin which souns a wee bit weird, acshually very weird. She nods an leaves me tae it. Ah'm jist aboot tae gie up when ah spots a pack oh Five Wild Country Towellin Hair Ponies, assortet colours, jist the ticket. Ah taks them tae the checkoot feelin nervus but the gurl disnae even look up at me. Ootside ah head up Buchanan Street tae Waxy O'Connor's. Ah gets a hauf oh heavy an then nips intae the gents. Naewan there, grathias a dias. Ah chooses the darkest pony an tries it oan. Ah looks in the mirror. Nae bad though it's hard tae see the back oh yir ain heid. Ah opens the door back tae the bar expectin howls oh laffter but naebody even looks ower. Ah sits doon an drinks the beer an sterts up singin tae masell *batnabaw pingpongbaw*. Suddenly ah sees the clock, tweny five past sevin, oh Christ. Ah bolts oot the door an sterts runnin doon tae Central. Suddenly ah spots her oan the ither side oh the street, whit a relief. Ah slows doon an crosses ower an walks clase ahint her an sings,

'Yir late, yir late, fur a very important date.'

'Ah'm no,' she says wioot breakin step or lookin roun, 'but youse is an ah tellt yi, it's nae a date.'

Ah walk by her side. She glances at me.

'Whit's happened tae yir heid?'

'New style, whit dae youse think?'

'If youse likes tha kind oh thing then tha's the kind oh thing youse likes,' she says enigmatic like.

'An dae yi?'

She shrugs noncommittal.

'Whaur are wi goin onyways?' she asks.

'Hoo aboot Pizza Express?'

'Aye, that'll dae fine, it's jist roun the corner an aw.'

Niver a queue at the auld Pizza Express, straight in.

'Buon giorno,' ah says tae the door guy.

'Tavolo per due,' pipes in Mads.

The door guy shouts tae anither waiter,

'Put thase twa commediuns ower there by the windae whaur ah kin keep an eye oan them.'

'Gracias,' ah says tae him.

'Yi should hae says grazie, nae gracias, yi'r showin us up,' Mads says as she taks aff her jaikit an hangs it ower the back oh her chair. She's wearin a blue t-shirt wi a picture oh Jesus wi a gun shootin some bearded guy in the middle oh his heid an sayin *Evolve This*.

'Nice t-shirt ah says. Whase the guy?'

'Jesus.'

'Nae Jesus, the auld guy ah means.'

'It's Darwin.'

'Aff course, stupit oh me.'

'It's frae yon filum Paul, whaur thay twa guys picks up an alien, a Christian lassie is wearin it, the shirt. Hiv yi seen it?'

'Nah.'

'It's guid, ah could watch it agin.'

Ah gets a Margherita an Mads haes a Fiorentino wi spinach an egg an wi gaes fae twa Peronis an aw. She carefully eats roun the edge an spirals in till jist the egg in the middle is left. She's a guid eater fur a wee lassie. She stabs the egg wi her fork an aw the yellow flows oot.

'Youse widnae get this in Pizza Hut,' she says.

'Nuthin but the best fur youse Mads,' ah says.

'It's ma birthday the day an aw.'

'Aw naw, yi should hae tellt us, ah wouldae goat yi somethin.'

'Nae wurries, yi kin put it in yir diary fae next year.'

Wi'v polisht aff the pizzas an finish aff oor beers.

'If wi tells the waiter thi'll bring yi a wee cake wi a candle an aw the waiters'll sing fur yi an iverybudy joins in, ah've seen it afore,' ah says.

'Dae tha an yi'r deid. Hiv yi forgotten wi'r baith Aspes?'

'Calm doon, calm doon. Ah wis only kiddin. Hoo auld are yi then?'

'Tweny thri.'

'Tha's a guid age,' ah says.

'Whit's a bad age?'

'Mebbe tweny sevin if yi'r a pop star.'

'Whit?'

'Loads oh them deid at tha age, Jimi Hendrix, Jim Morrison, Winehoose, Cobain loads.'

'Why tweny sevin?'

'Ah reckons they gets famous aroun tweny wan an it taks six year fae the drugs an alcohol tae kick in.'

'But some pop stars is ancient?'

'Aye, theys are the wans tha wis lucky an jist goat pickled.'

'Ah'll be carefu in fower years then.'

'Also thirty thri is nae sae guid if yi'r Jesus mind,' ah says pointin at her t-shirt. 'But tweny thri is fine, nuthin iver happens tae onywan when thiy're tweny thri.'

'Hoo auld are youse then?' she asks.

'Tweny eight.'

'Sae yi made it past tweny sevin?'

'Aye, whit a relief.'

She's nae wantin dessert sae wi gets the bill an ah gies them ma caird. Mads puts hauf the money oan the table.

'Yi'r awright, ah'll get this,' ah says pushin the money back ower tae her like some bigshot.

'Tak it or wi'r leaving an awfy big tip.'

Ah pockets the cash reluctant like.

Ootside wi'r walkin back up past Queen Street when Mads sudden like says,

'There's ma bus.'

Ah'm ready hooever an thrusts a wee paper wi ma mobile number oan it intae her han,

'Jist in case,' ah says.

She runs across the street an jumps oan the bus, she disnae wave or nuthin or even look roun at me.

Ah heids back tae Waxy's. It's nae even hauf eight an the date tha wisnae a date is awready ower, ah cannie believe it. Yon Pizza Express daes whit it says oan the tin aw richt. Ah mak a note tae choose somewhere a bit mair lethargic the next times, if there is a next times tha is.

Brave Noo Wurld

Twa days later ah gets a text.

'Dis youse play chess?' Number nae recognised but it kin only be her, ah've nae meny friens an nane plays chess.

Ah text back,

'Aye an youse?'

'Aye. Gie youse a game the night, best oh thri, gie me yir address.'

Ah send her the address an stert tidyin smartish.

She cams roun wi a bottl oh Rioha in her hans.

'Muchas grathias,' ah tells her.

Ah've awready put oot the pieces. Ah'm missin a pawn but ah've put a wine cork tae replace it.

Wi opens the bottl an settles doon an ah gies her white tae stert. She gaes pawn tae E4 an me pawn tae E5 an then wi gets the knights oot an here it cams, bishup tae B5, wi hae the Ruy Lopez oan the board. Wi hae a swig oh Rioha tae celebrate an ah hit her wi the Morphy defence naturalmenti.

Tweny moves later wi hiv swapped aff nearly everythin an wi agrees tae a draw.

As wi'r puttin oot the pieces fae game twa she says,

'Whit happened tae yir manband?'

Ah puts ma han tae the back oh ma heid an says,

'Ah goat rid oh it.'

'Aw naw, a luved tha, it made yi look real special.'

'Really? Mebbe ah kin find it somewheres?'

'Dinnae be daft, yi looked totall ridiculous yi plank, like Francis Rossi frae Status Quo.'

Ah fills oor glasses an ah'm thinkin this hairband business is maybe a tactic oh hers tae put me aff ma game. Concentrate.

Roun twa an ah've noo goat the white an grabs ma knight an ah kick aff wi the Reti openin, lets see whit she has? Efter a lang struggle wi ends up wi me a knight an bishop tae jist her king.

'Tha's a draw,' she says aw ready tae put the pieces oot tae stert the lest game.

'Nae sae fast lassie,' ah hauds up ma han, 'ah kin dae this,' tho ah'm nae sae sure, knight an bishop is wan oh the trickiest endgames.

'Yi'v only goat fufty moves,' she warns me. Sae she kens her rulebook ah thinks.

But efter only thirty five moves ah've awready goat her king in the corner. Hasta la vista, baby.

Ah run doon tae the Sevin Elevin an get us a bottl oh Chilean fae the final roun, wan an a hauf tae a hauf, this is gonnae be easy-peasy, even a draw wins fae me.

This time she gaes fae D4, ah gaes D5 an afore wi knows it wi are intae the Queen's Gambit. As ah'm in the lead ah'm no gonnae risk acceptin the gambit sae ah plays it safe an declines. Tweny minutes later ah'm cruisin towards overall victory wi at least a draw an ah'm thinkin this is a wee bit romantic like in tha *Thomas Crown Affair* filum, nae the crappy remake wi Pierce Brosnan an the bowler hats, but the original wi Steve McQueen an Faye Dunaway whaur they plays chess an wi tha stupit song *Windmills oh yir Mind* when ah moves an she says,

'Oops.'

'Whit?' ah asks panicky like. Whit wis a sayin earlier aboot concentratin an noo ah've bin lettin ma mind wander aroun stupit filums?

'Youse wantin tae tak back tha move?' she asks.

'Naw, yi'r aw richt,' ah tells her wi a hesitation in ma voice.

'Yir funeral, pal.' She moves her queen an pins ma rook.

'Aw naw.' Ah cannie believe it, whit an eejit.

Ah knocks ma king ower in disgust at masell.

'Look oan ma wurks yi mighty an despair,' she gloats.

Ah daes the baith.

'Yi fair took yir een aff the baw there, ah thocht ah wis losin an then yi jist dozed aff.'

Ah'm speechless.

She looks at her phone.

'Shite, ah've missed ma lest bus, kin ah stay ower?'

'Nae worries,' ah says real casual. Ah've gone frae zero tae hero in jist thri days ah'm thinkin.

'Kin ah use yir toothbrush?' she asks.

'Knock yirsell oot.'

She cams oot oh the bathroom efter five minutes.

'Aw yours.'

When ah come back oot she's awready in ma bed. Ah pull back the covers an she's stark naked.

'Whit're yi doin lassie? Put some claes oan fae God's sake, ah'm no Ghandi yi ken.'

'Dinnae fret,' she answers pattin the bed.

Ah gets in hesitant like an she pulls doon ma boxers an gaes doon oan me jist like tha.

'Ah'm no yir girlfrien mind.'

'Yi shouldnae talk wi yir mooth fu,' ah tells her. She laffs.

Efter she tells me agin,

'Ah'm nae yir girlfrien mind.'

'Ah've goat the message. But if yi'r nae ma girlfrien whit are youse?'

'Nae idea.'

'A frien wi a benefit?'

'Ah hates tha filum, an tha maks youse Justin Timberlake, haha.'

Next morn ah've tae get up fae the telesales, the wurld oh phones is waitin fae me. Mads is still in the land oh nod.

Ah gie her a push an says,

'Whit did eight says tae infinity?'

'Whit?'

She opens her een, jist aboot.

'Whit did eight says tae infinity?' ah repeats.

'Nae idea?'

'He says get up yi lazy bum.'

'Haha, ah'm supposed tae be the comediun.'

'Go oan then, ah've no goat aw day.'

'Whit daes zero says tae eight?'

'Nice belt. See yirsell oot.'

She pulls the covers ower her heid.

Missiun Impossibul

Friday night ah gets a strange text frae Mads.

'Fancy an excitin missiun?'

'Aye,' ah texts back.

'Meet me at Queen Street Station oan Saturday at nine in the morn. If yi dares.'

Ah dares aw richt. Thri dates in wan week. Aye ah kens thiy're nae dates.

She's standin at the ticket barrier haudin a plastic bag oh stuff an twa train tickets. She gies me wan an says,

'Quick, wi kin get yon nine fifteen.'

Ah looks at the departures board, it's the Embra train. Wi jumps oan. It's a pretty empty Saturday train an wi bags twa windae seats.

'Whit's yir plan?' ah says.

Mads says, '*yir missiun, should yi choose tae accept it,*' an then sterts singin the *Missiun Impossible* baseline '*ba – ba –bababa ba- ba*' an ah adds in the high '*do-do-doos do-do doos*'.

An auld wuman gies us a harsh look sae wi pipes doon.

'Yi wis sayin?' ah prompts her.

'Ma auld boyfrien...'

'Ah thocht youse didnae believe in boyfriens?' ah interrupts.

'Aye, ah dinnae the noo an he's wan oh the reasons. Anyways he bides in Portybello, doon by the sea.'

'Ah kens whaur Portybello is.'

'He's still goat ma auld snooker trophy. Wi the help oh this,' she pats her bag, 'wi'r gonnae get it back.'

'Whit's in there?' ah asks.

'Ma burglar's pack.'

She opens up the bag, it's actually a *Tesco's Bag Fae Life*. Inside is a pot oh hunny, a tile cutter, some broon paper an twa sandwidges.

'Ah seen it in a filum,' she says. 'Youse scratches a wee circle oan the windae wi the tile cutter an then sticks the broon paper oan ower the circle wi the hunny an gies it a wee tap. The circle oh glass cams oot held wi the paper an hunny an youse puts yir han thru the wee hole an opens up the windae, simples.'

'An the sandwidges?'

'Thase jist fae lunch.'

'Cannie wi hae wan the noo, ah'm famisht?'

'Aye, me too.'

Wi'v polisht aff baith the sandwidges by Falkirk Station. Some wuman gets oan an goes past gien us a blast oh her perfume.

Wi'r baith splutterin an gaggin.

'Ah hates perfume. Yi ken when yi are oan a bus an

somebudi wi eftershave or perfume sits across frae youse. Ah'd rather they farted,' says Mads.

'Aye, me an aw, at least the fart fades but the perfume keeps cummin at youse, hoo dae they mak it last like tha.'

'Wurst is oan an airyplane whaur youse are in yon wee mettal tube an cannie move or change seat. An somewan sits doon next tae youse whase bin in the duty free tryin oot aw the free eftershaves.'

'Whit smert alek thocht oh tha, duty free perfume in an airport?' ah agrees.

Wi gets aff at Waverly an climbs the steps up tae the bridges, a freezin wind is hurlin up frae the Forth, tha's Embra fur youse. Well it is March efter aw. Wi hops oan a number forty five. Wi gaes upstair an wi sits in the frunt seats naturalmenti.

'S'no pretty childish tae still think yi'r drivin the bus at yir age?' Mads asks me.

'Simple things,' ah tells her negotiatin yon tricky corner intae the tap oh Leith Street wi ma enormous steerin wheel.

Wi trundles slowly doon towards Porty sae ah turns oan the auto-pilot an relaxes.

Wi are jist admirin the view oh Arthur's Seat when the bus suddenly jolts tae a halt. Me an Mads is thrown forwart but avoids smackin oor heids oan the glass by puttin oor hans up ontae the windae. A wuman wi a pushchair has walkt oot in frunt oh the bus. The driver sterts hootin. She gestures up at the still flashin green man an sterts shoutin at him.

Mads peers doon,

'Looks like wi'r in a *did she stert crossin afore or efter yon green man sterted flashin* kind oh scenario?'

'Wi needs an action replay tae be sure, a wee bit oh VAR wid be handy,' ah says.

'Looks like she might be sayin *youse are a child murderer,*' Mads lip-reads.

'Aw naw, he's gettin oot,' ah sighs, 'ah hates tha.'

Yon driver is noo oan the street conversin furious like wi the wuman whae's gien as guid as she gets.

'Ah heard tha in Southampton or Portsmouth or somewhere doon there they gied aw their new bus driver candidates psychological tests,' Mads says.

'Whit happened?'

'They managed tae cut doon bus related fatalities by forty thri percent.'

'Interestin.'

Cars ahint the bus are noo hootin an the bus driver is gesticulatin furious like at them an aw.

'Doubt he wid hae goat the joab in Southampton,' Mads says.

'Nope. An ah expects the polis will be here soon,' ah sighs agin.

'Mebbe wi should walk doon?'

'It's miles yet tae Porty still.'

Thankfully the driver gets back in an the bus lurches forwart thri feet afore stallin.

'Psycho-driver is back in the hoose,' Mads proclaims wi a laff. The twa oh us amuses oorselves fur a few minutes singin the modified *Talkin Heids* song wi new wurds, drive bein substitutet fae run.

The song peters oot an wi carries oan trundlin doon towards the sea.

The driver seein some speed bumps aheid accelerates an

oan hittin the furst wan me an Mads both levitates several inches affof oor seats which then rise tae meet us oan the next bump.

At oor stap Mads says tae the driver oan departin,

'Ah must congratulate youse oan yir exemplary drivin skills. Ah wid tak ma hat aff tae yi but ah'm nae wearin wan.'

The driver answers brusque like,

'Cam oan, get aff.'

'Mak up yir mind pal,' quips Mads coquettish like afore hurriedly skippin aff oh the bus.

Wi'v goat oot in the High Street an wi walks doon tae the sea an then east alang the seafrunt tae the hoose. Wi case the joint fur a few minutes.

'Should wi no ring the bell tae see if onybody's in?' ah suggests.

Mads nods an wi walks up the path.

A wuman cams tae the door,

'Oh hi Mads, hivnae seen youse in a lang time.' She jist nods tae me. 'Youse wantin Malcolm, he's nae in?'

'Nae wurries, ah've jist cam tae get ma snooker trophy,' Mads says.

'Oh aye, whit dis it look like?'

'It's six wee silver baws in a wee triangle, wi ma name at the bottom, Madeleine, nae Mads.'

'Hang oan, hen.' The wuman gaes intae the hoose an cams back five minutes later wi the wee trophy.

'This it?' she says handin it ower.

'Aye, thanks.' Mads taks it an stuffs it in her bag.

'Ony wurd fae Malcolm?' the wuman says.

'Aye, tell him ah cannie live wioot him.'

'Yi'r a caird, Mads, youse aways made me laff. Ah'll let him know yi wis roun.'

She clases the door an wi heid back doon tae the sea.

'Gies a look at the trophy,' ah says.

Mads hans it ower, it's pretty light an wee.

'Kin see why youse wanted it back sae much,' ah says gien it back tae her.

Wi sits doon oan the beach. The wind is even caulder here than in the toon.

'Dinnae touch the sand mind,' Mads warns me.

'Why no?'

'It's contaminatet, they dredged it up oot oh the Forth near the oilwerks. There used tae be loads oh signs warnin youse oh the danger.'

Ah looks aroun,

'Whit happened tae aw the signs?'

'People stole them fae their hooses, Malkie has wan. Youse wantin some hunny?'

'Nah, ah cannie stan it, maks me feel sick jist thinkin oh it.'

She opens the hunny an lays back haudin the jar up high an lettin a wee trickle faw doon intae her mooth. It looks a bit like wan oh them trick things whaur a bottl is suspended in mid air an watter is comin oot oh it continuous an naebody kin see the wee glass tube up the middle oh the stream tha's baith haudin up the bottl an puttin the watter back intae it.

'Yi wis niver gonnae break in were youse?' ah says.

'Nah, Malkie's mammy niver gaes oot the hoose.'

'Sae aw this burglary kit wis jist sae yi could eat aw tha hunny?'

'Mebbe.'

'Wipe yir chin,' ah tells her, 'yi'r drippin hunny aw ower the place.'

She drags her sleeve across her mooth, an the wind sterts pickin up even mair an some wee flecks oh white lands oan ma troosers.

'Ah think it snaein, look,' ah says.

Mads pulls her jaikit tighter.

'Whaur is the snaes oh yesteryear?' she says.

'Yesteryear, yesteryear, yi dinnae hear tha wurd much onymore,' ah says. 'Yesterday is the only wan oh them yesterwords tha's really survived, ah means yesterhour an yesterweek wid be handy widnae they?' ah continues.

Mads gies me a sad look an a kind oh tumbleweed moment passes atween us.

'Come oan or wi will turn tae stane,' Mads says gettin up an marchin back tae the High Street.

Ah follows smartish sayin, 'lead oan Macduff, Macbeth is clase ahint.'

Wi gets some chips tae tak back oan the train.

'Whit youse wantin oan yir chips?' the wuman asks us.

'Salt n sauce,' Mads answers.

Ah looks at her quizzical like.

She answers wi a shrug.

The wuman puts a guid dollop oh the broon sauce oan the chips.

'Yi dinnae often gets tha sauce in Glesgae ah'm tellin yi,' ah says tae her when wi'r ootside.

'When in Rome,' Mads answers.

'Ah thocht Embra wis the Athens oh the North?' ah says.

Mads puts a chip intae her mooth,

'Rome, Athens, whitever, when ah'm travelin ah likes tae sample the local cuisine oh the natives.'

Oan the train back tae Glesgae ah asks her,

'Tell me mair aboot yir auld boyfrien?'

'Nae much tae tell.'

'Strange name an aw.'

'Whit? Malcolm? Tha's nae strange. There wis loads oh kings oh Scotland cawed Malcolm?'

'Aye in the stane ages mebbe.'

'There's loads oh modern Malcolms an aw. Whit aboot tha guy tha wis friens wi Martin Luther King in America?'

'Ah dinnae think thae twa wis friens, tha Malcolm wis a bit tae violent fae Martin Luther King,' ah says.

'He cannie ha bin tha violent, tha Malcolm.'

'Why no?' ah asks.

'Well he aways puts a big kiss efter his name.'

'Malkie's ma wis richt aboot yi, Mads,' ah says.

'Whit aboot me?'

'Yi'r a caird. Yi kens he's cawed Malcolm X.'

'Aye, mebbe. But think aboot it, whit if he wanted tae sign aff a letter wi a kiss tae his girlfrien he wid hiv tae put *wi luv, Malcolm X X.*'

'Nae he wid put *Malcolm X squared.*' Wi baith laffs.

Alien

The Saturday morn a week efter the Embra adventure there is a ring at ma door. It's Mads wi twa black binbags, her shoulderbag ah remembers frae the pool an a long thin black case an aw.

Ah looks at her quizzical like.

'Ah'm movin in,' she says.

'Aye, is tha richt?'

'Is youse jist gonnae stan there in ma way?' she says.

Ah move tae the side an she cams in an puts aw the bags an the case doon oan the flair.

'Ah'm nae yir girlfrien tho, ok?'

'Whitever yi says. Whit happened?'

'Oor lanlord, if yi kin caw him tha, he threw us aw oot.'

'Kin he dae tha, surely it's nae legal?'

'Yi'v nae seen him, he's a gangster, he kin dae whitever he wants.'

'Well mak yirsell at hame, when daes yi want tae get aw yir stuff?'

'This is it.' She points tae the thri bags an case.

'Tha's it, yir worldly possessions? Aw yir guids an chattls?' Ah clears a shelf in the cupboard. 'Youse kin put yir claes in here.' She empties wan oh the bags ontae the shelf. She puts twa books frae the pile oh claes ontae ma bookshelf. Ah pick wan up.

'*Laments oh the Makaris*?' ah reads.

She taks the book,

'Aye it's ma favourite. Poyms frae Scotland frae five hunner years agae. Tha's whit poyets wis cawed then, Makaris.'

'When they Malcolms wis kings?' ah asks.

'Nah, youse dinnae ken nuthin, tha wis fower hunner years afore the Makaris. Five hunner years ago wis aw they King Jameses, wan tae six.'

'Oh aye, it's aw cummin back tae me noo,' ah lies.

She opens the book.

'This is wan oh the best,

I seik about this warld unstabille

To find ane sentence convenabille,

Bot I can nocht in all my wit

Sa trew ane sentence fynd off it

As say, it is dessaveabille.'

'Whit daes dessaveabille means anyways?' ah asks.

'Deceitfu. The poyem's frae William Dunbar, whit did youse think?'

'Nae bad, he wid hae bin awright in a Glesgae taxi talkin like tha.'

'Aye Scottish is the best fae poyems. Ah hates the way thay English types talks,' Mads says.

'Aye,' ah agrees. 'But the French is wurse than the English parlay.'

'Nah. Nae possibilo. English is wurse.'

'Honest. Ah kin pruve it. Fur example, tak the wurd fae the colour oh the sky. Wi here says blu. Nice. Short an tae the point, nae messin. Blu. Ok thay English says blooo, well a bit prissy an lang but still okish. Noo tak the French, they says bleugh, it's like pukin, throwin up, an aw ower a wee wurd. Bleugh, bleugh, bleugh.'

'Calm doon, ah've jist had ma breakfast,' Mads says.

'Ah'm richt am ah no?' ah says.

'Speakin oh puke, when ah wis in primary school a janny hans me a bucket oh sawdust an tells me tae gae an put some oan a pile oh vomit some wee kid had thrown up.'

'How auld wis yi?'

'Sevin?'

'Is tha even legal?'

'Youse is sayin legal a lot the day, is it the magic wurd? Anyways tha bucket wis used a lot, maybe it wis the school dinners.'

'Aye primary school, whaur else wid yi hae a bucket jist fae vomit?'

'A nightclub maybes?'

'Aye. Ah'm minded oh a school dinner story oh ma ain,' ah says. 'Ah wis mebbe six year an awe. Ah'd lost ma dinner ticket an wis in a panic. Ah sees aw the kiddies linin up wi their hans up wi their tickets in them an this teacher is takin them as they pass intae the dinner hall. Ah thinks ah'll jist haud up ma han empty an the teacher will think she's taken ma ticket awready.'

'Did tha work?' Mads says doubtful like.

'Course nut, the teacher grabbed ma wrist an hoiked me oot oh the queue, nearly took ma airm oot oh ma socket.

Efter aw the kids wis in she looks at me an ah sterts greetin. She lets me in fae the dinner but ah had tae sit wi the big lassies. Ah wis terrified oh them.'

'Tha's a classic Aspe story,' Mads says puttin the poetry book back oan the shelf. '*Lenfer sais les otres.*'

'Whit?'

'Yir favourite language French. *Hell is ither peoples.*'

'Whae said tha?' ah asks.

'Jean Paul Sartre, he's the patron saint oh Aspes.'

'Whit's yon ither wan frae yir extensive library?' ah asks.

'Some trash ah foun oan the subway, the lest pages are missin.'

'That'll be annoyin when youse gets there?'

'Ah'm goin tae cross tha bridge, yi ken.'

Ah tidies up ma bookshelf a wee bit an says, 'books are crap onyways.'

'Why daes yi think tha?' Even as Mads asks ah see she has doubts aboot the wisdom oh the question. Too late, ah'm aff.

'Well wheniver ah'm readin wan ah'm aways imaginin some author jus sittin there makin aw this stuff up.'

'Well whit daes youse expect? Tha's their joab.'

'Ah ken but they are jist fillin up the pages, wanderin aroun everywheres lookin fae some little nuggets oh insight intae the human condition. But look hoo meny books there is, thousans, milliuns, aw the wee nuggets is awready used up, huners oh times, they are jist repeatin themselves endless like.'

'But...'

'An then they gie yi their important pronouncements an opiniuns, tellin yi whit tae think, yi wid niver get awa wi tha in a filum, it wid sound sae pretentious.'

Mads sighs but ah'm rollin,

'But yi ken whit's the worst?'

'Whit? Enlighten me sil vous plate.' She's goat a packet oh crisps oot frae somewheres.

'Aw thae endless descriptiuns oh things an places, aw puffed up tae fill even mair space. Whae gies a munkies? An wi books thiy're aways describin whit people looks like, ah'm nae keen oan tha. Wait,' ah tells her. Ah gaes thru ma books an finds ma auld paperback oh *Sweet Thursday* by yon John Steinbeck. Ah finds the richt place an reads oot,

'Ah like a lot oh talk in a book an ah don like tae hiv naebody tellin me whit the guy tha's talkin looks like. Ah wants tae figure oot whit he looks like frae the way he talks.'

'Aye ah kin sees whit youse means,' Mads says in a kindae *if yi cannie beat them join them* way. 'An as weel thay aways puts in some bad stuff an dramas an aw, people diein an such tae mak it excitin, why kin they jist no get oan wi it wioot aw the hullabaloo.'

'Hooray, wi'r in agreement at lest,' ah says an wi daes a cheesy kind oh hi five.

Mads has finished her crisps, wioot offerin me wan ah might add, an scrumps up the empty packet an thraes it direct intae the bin wioot it touchin the sides. Sadly tha's nae a sport in yon Olympics, mind ah'd watch it if it wis, unlike the rest oh tha malarkey.

'Whit's in yon black case thingy?' ah asks her.

'Ma cue,' she says

'Whit?'

'Ma snooker cue.'

'Oh aye, ah remember noo the wee trophy wi went tae get

back in Porty. Did yi brings tha an aw?'

'Course, ah widnae leave tha efter aw the effort wi went tae tae get it back.'

She fishes the trophy oot oh the ither binbag an hans it ower. Ah gies it a wee polish wi ma sleeve an puts it pride oh place atop the telly next tae ma pastille box.

'Gies the room a bit oh class, a focal point as they says,' ah says standin back tae get a better view.

'Aye. Yi'r nae wrang.'

Mads picks up the wee pastille box,

'Whit's in here?'

'It's a prisum, open it.'

She opens the box an in a wee bed oh cotton wool is a glass prisum. She taks it oot carefu.

'Is there a story tae this?' She hauds the prisum up tae the licht an wee colour flecks faw oan her face.

'Aye, when ah wis wee, mebbe fower year auld, ma da asks me whit present ah wants, he wis awa a lot wurkin. Ah says a prisum an ivery time he cam back he hadnae bin able tae find wan. He aways brocht sommat fae me mind, once he brocht a pair oh compasses. Ah luved them an ah went aroun drawin perfect circles everywheres.'

'Like a wee Giotto? He wis Jean Brodie's favourite mind.'

'Aye. Onyways finally efter some months ma faither cams back wi tha, it's no exactly the kindae prisum ah wis efter, it's oot oh a pair oh binoculars, but it daes the trick.'

She puts the prisum carefu back in the box an the box oan the telly an wi sits doon tae discuss terms.

'Ah'll pay hauf the rent an bills an ah'll cook ivery ither night,' she says.

'Fair enough. Are youse a guid cook?'

'Aye, nae bad.'
'Whit's yir signature dish?'
'Stir-fry. Youse goat a wok?'
'Aye, an a gas cooker an a bottl oh soy an aw.'
'Wi'r laffin then.'

Mads finishes her unpackin, the ither binbag has maistly wires an chargers fae her phone an laptop an some toilet stuff includin a ginormous bottl oh asprins.
'Goat enuf there?' ah asks.
She laffs, 'aye, ah eats them like sweeties, ah cannie be daein wi thae wee packs yi gets noo at the chemists, Ash goat me a whole bottl, her sister's a nurse.'
'Wan oh the guys in tha *In Cauld Blood* book, he wis intae asprins.'
'Aye the wan tha Truman Capote fell fae, the wan tha kilt them awe,' she says doonin a hanfu.

The Body Snatchers

The day efter Mads moves in ah gets a text frae ma sister Jannie in Coatbridge tha Neil, her husband, ma bruther in law, is deid. Ah caws her smartish.

'Ah'm sorry ah texted yi, ah couldnae get thru,' she says.

'Nae worries, ma phone's oan the blink. Ah'm awfy sorry aboot Neil, whit happened tae him?'

'He wis fixin the door oh the garage an he had a stroke oot oh the blu. Nae warnin, nuthin. Wi took him tae the A an E but he didnae really recover consciousness.'

'Hoo are the girls takin it?' They hiv twa twins aroun nine year auld, ma nieces.

'Thiy're devastatet.'

'Aye, it's a bad age fae somethin like this.'

'The funerals oan Monday efternoon, wi'r aw meetin at ma place aroun twelve.'

'Ah'll be there,' ah says.

Ah tells Mads.

'Ah'm sae sorry,' she says.

'Ah didnae like him tha much, Neil, but ah'm sad fae ma sister an the wains. The funeral is oan Monday, youse want tae come?'

'If yi prefers.'

'Tae be honest ah could dae wi the company, yi kens ah'm nae guid wi this kindae situations,' ah says.

'Whae is?' Mads answers.

Ah phones Jannie tae tell her Mads is cummin.

'Nae wurries, the mair the merrier,' she says ironic like.

'Whit'll ah wear?' Mads asks me.

Ah look at her wee pile oh claes.

'Shouldnae tak lang tae decide, nae a load oh choice. Black is traditional.'

She pulls oot a black tee shirt an skinny jeans.

'Only oor thurd date an yi'r takin me tae a funeral, yi kens hoo tae show a gurl a guid time,' she says.

'Ah thocht yi said they wisnae dates,' ah says.

Oan Monday oan the train tae Coatbridge ah asks Mads,

'Are youse relijus?'

'Nut.'

'Nae God or onythin at aw?'

'Aff course youse cannie rule onythin oot, whae kens whit happens, but efter ah'm deid an ah sees Jesus an Mary an aw tha carryoan ah wid hiv tae say, *ah don't believe it.*' Here she daes her Victor Meldrew impression which is impressive an turns a few heids oan the train.

'Sae whit dae youse think it'll be like when yi'r diein?' ah perseveres.

Mads thinks fur a mo, then,

'Ah've goat a theory tha when yi die an aw yir life flashes afore yir een there's a few comedy moments popped in as yi'r driftin awa, like in them filums tae keep yi frae rushin fae the door.'

'Keep youse in yir seats fae the credits like?' ah says.

'Aye. Maybes a few bloopers, oot-takes, bits whaur yi startet laffin an couldnae stap. Ah think tha's whit'll happen, ah'm lookin forwart tae it.'

'Aye. Yi needs a laff at a moment like tha.'

Wi looks oot the windae.

'Whit aboot reincarnation, whit's yir tak oan tha?' ah says.

'As ah says yi cannie rule onythin oot, but yi wid hivtae ask hoo daes it happen? Hoo dae youse gets frae yirsell an intae anither person? An whaur is yi hangin aroun in the meantime?'

'Aye but if yi'r askin tha then hoo dis youse get intae yirsell in the furst place?' ah says.

'Aye fair enuf. But if it's true ah'm nae lookin forwart tae it, yi micht end up bein some ersehole or even a wurm or whit.'

'Ah suppose if it happens youse jist gets oan wi it, yi'll nae remember nuthin frae this life.'

'Aye, mebbe, but ah doubts it tae be honest.'

'Sae nae relijun or reincarnation fur youse, sae efter yir times up, whit then?' ah asks.

She pits her finger in her mooth an dis an amazin loud pop.

'Carefu,' ah says, 'youse nearly had wan oh ma een oot wi tha.'

It's only tweny minutes tae Coatbridge an wi gets aff at Sunnyside Station, ironic like, an it's sunny an aw. Wi gets a taxi tae ma sister's hoose tho it's nae far. Iverybudy's awready there, Jannie, Neil's twa bruthers, the twins, some people frae Neil's wurk.

Ah introduces Mads but ah says Madeleine instead oh Mads. Wan oh Neil's bruthers, ah cannie iver remember this wan's name, offers us the choice oh a tea or a whisky. Ah looks aroun, maist seem tae hiv gone fae the whisky sae ah gaes fae tha an aw an Mads follows. Ah gaes up an gies ma sister a big hug.

'Hoo are yi daein?' ah asks.

'Iverybudy's bin awfy kind. Ah'm ok jist aboot, but ah'm wurried aboot the wains.'

Wi looks ower at the twa oh them, thiy've baith goat pieces oh cake but thiy're no eatin, jist starin oot oh the windae at some boys playin fitbaw in the street.

Ah gaes back tae Mads.

'Hoos she daein, yir sister?' she asks.

'She's copin but wurried aboot the wee wans.'

'Come oan,' Mads leads me ower tae the twins.

Mads kneels doon tae their level.

'Ah'm Madeleine but youse kin caw me Mads. Whit's yir names?'

The twa looks at wan anither an then at me an then at Mads an back tae wan anither. Strange how in wee wans yi kin see the process oh gettin reassurance frae people's faces a wee bit like animals wid dae, in fact jist as adults dae an aw but wi'r much mair circumspect aboot it.

'Ah'm Masha,' the wan says.

'Ah'm Sasha,' the ither.

'Bonnie names,' Mads gies me a wee hint wi wan oh her een tae bugger aff sae ah moves back tae the ithers leavin them tae thirsells.

A fleet oh taxis arrives an wi aw heids aff fae the crematorium, Mads still wi the wee wans. Wi walks thru the rest gardens, me wi the ither wan oh the bruthers, James. Mads is up aheid wi wan wee gurl oan each han. She's wearin her wee black flared coat an her skinny jeans tha is sae tight it taks her five minutes tae get them oan.

'She's a cracker, yir new girlfrien,' James says. He's wan oh those tha resolutely refuses aw attempts oh name shortenin, nae fae him Jim or Jimbo or Jimmi, aways James an aways will be till the end oh time, amen.

'She's nae ma girlfrien,' ah says automatic these days.

'Whitever, she's guid wi the twins, mind.'

'Aye, she's taken a shine tae them.'

'Youse thinkin oh bairns yirsells?'

Ah jist lets tha pass.

Inside the chapel ah stays wi James. Mads is up the frunt wi the lassies. Jannie gies a nice wee speech aboot Neil, ah feels mebbe ah wis too harsh oan him. As wi'r gaein oot they plays yon *Days* sang frae the Kinks. Ah've even goat a tear in ma een.

Back tae the hoose fur a lang efternoon. Naebody has much tae say, Mads plays cairds wi the wains. When wi gaes the baith oh them gies her big hugs, talk aboot luv at furst sicht, an Mads says tae them,

'See youse baith in Glesgae.'

Wi walks back tae the station, still sunny but getting a wee bit chilly.

'Whit wis tha *see youse in Glesgae* aboot?' ah asks.

'Ah'm takin them tae the ballet, ah askt their ma, ah likes them, they reminds me oh yon twa in the Shinin filum.'

'Ah kin see.'

'Hiv yi noticed they is aways takin the same positions as each ither wi their hans an airms an aw, as if there wis a big mirror there.'

'Aye, but iverybudy daes tha,' ah says

'Aye?'

'Aye, if yi'r sittin talkin tae somewan dae somethin weird like puttin yir han ower yir ear, five minutes later the ither wan will hae done the same, it's well known.'

'Ah'm gonnae try tha. Ah likes them wearin the same claes an aw.'

'Aye, their mither Jannie didnae wan tha, she wanted them tae be individuals but they made such a fuss an aw tha she gied in tae them in the end.'

'Aye they kin be stubborn, especially tha Sosidge.'

'Sosidge?'

'Ah'm cawin them Sosidge an Mash,' Mads laffs.

'An they dinnae mind tha?'

'Nah. They likes it.'

'Yi'r fu oh surprises, Mads.'

'Youse ain't seen nuthin yet.'

'Ah'm haudin ma breith.'

Yon Man Whae Fell Tae Earth

Mads is oot somewheres, she's oot a lot these days. There's a knock at the door. Ah answers. It's a skinny wee guy but he's goat an awfy mean look aboot him.

'Mads?' he says.

Ah looks doon at masell,

'Ah dinnae think sae.'

He pushes the door mair open an looks aroun the flat,

'Dinnae fuck wi me pal. Is she in?'

'Nut.'

'Whaur is she?'

'Oot.'

'Whaur?'

'Nae idea. Kin ah gie her a message?'

'Tell her Kenny wis roun an ah'm nae happy.'

'Kenny?'

'Kenny, an ah'm nae in a happy mood,' he reminds me.

'Sorry tae hear tha.'

'Gie her this.' He hans me a wee note an then turns awa an ah clases the door. Ah'm tremblin a wee bit. Ah looks at the note. It's written in pencil an jist says *rent twa hunred VAT forty*.

Mads returns a couplae hours later carryin a bass guitar.

'Yir frien Kenny wis here,' ah says afore she's even in the door.

'Shite.'

She sits doon.

'Whit did the wee bugger want?'

'Money ah thinks, he gied me this.'

Ah hans her the note.

She reads it wi a big sigh.

'Dis yi owe it tae him, is it rent? Ah thocht he kicked youse oot an aw,' ah says.

'Tha's immaterial. If he's efter it, he's efter it.'

'He disnae look tha big?' ah says.

'Dinnae youse think aboot it, yi widnae last twa minutes wi him. It's nae size tha matters, it's nae carin aboot whit yi dis tae somebudi. Yi cares, he disnae, end oh story. He's like yon crazy guy in *Trainspottin*.'

'Whit're yi gonnae dae?' ah asks.

'Gie him the money aff course.'

'An if he asks fae mair efter?'

'Cross tha bridge.'

'Whit's tha?' ah says pointin at the guitar fur a distraction.

'It's a bass guitar.'

'Ah kens tha, ah means whit daes yi hiv it fae?'

'Ah've joint a band, they lent it tae me, tae practise.'

'Ah thocht youse wisnae musical?'

'It's a bass guitar, nae a violin.'

'Fair enuf. Whit's the name oh the band?'

'The band is cawed Muscles. Wisnae ma idea. Thiy've had the name fur ages.'

'Muscles,' ah muses, 'ah've heard wurse. In fact maist band names are shite the furst times yi hears them. If the band is guid then they transcends the name but if thiy're nae guid the name stays shite fur evirmair.'

Mads has put the message awa an plays a few notes oan the bass,

'Aye, imagine somewan wans sayin, *whit's the name oh yir band?* The Silver Beatles, nae wi twa es but ea like in beat. Whit? Whae cam up wi tha rubbish name?'

'Or mebbe *whit's the name oh the band?* The Hollies. Man are youse havin a laff? Yi'll get naewheres wi tha name. Anyways whit kindae music is it, yir band?'

'Post punk.'

'Nice, goat ony gigs?'

'Next week at the Twilight.'

'Tha's no lang, will youse be ready?'

'Course, it's jist the bass. Youse wantin tae come?'

'Wouldnae miss it fae the wurld.'

'There'll be people there,' she warns me.

'Nae wurries.'

Twa days later Kenny kicks the door.

'Wi'v goat a bell yi ken,' ah says tae him openin the door.

'Germs, cannie be too carefu.'

'Whit youse wantin?'

'Mads in?'

'Nut.'

'Didye gie her ma message?'

'Aye. She's getting the money fur youse.'

Kenny seems surprised by this news but he says,

'Ah'll be back oan Friday, ah'm wantin it then.'

'Aye, nice tae see youse tae, arrivederci amore.'

Ah'm aboot tae clase the door but he puts his foot in the way.

'Ah'm no likin youse.'

'The feelin is mutual.'

He dis this wee thing wi twa fingers in his een an then pointin them at me an repeatin.

Ah'm tremblin even mair this time as ah clases the door.

Mads is back awfy late.

Ah tell her aboot the second visit.

'Ah've goat the money,' she says.

'Whaur frae?'

'Ma sister.' She haunds me an envelope.

'Ah didnae ken yi had a sister? Yi niver tellt me aboot her?'

'Yi niver askt.'

'Whit's she cawed?'

'Shona.'

'Whaur daes she live?'

'The edge oh naewhere.'

'Whit?'

'The edge oh naewhere.'

'Ah heard yi, whit dis tha mean onyways, edge oh naewhere?'

'It means yi gaes aw the ways tae the middle oh naewhere an then yi'v still goat a twa hoor bus journey.'

'But the edge oh naewhere must be claser tae us than the middle oh naewhere surely?' ah says.

'Nae frae this side.'

Ah gie up oan tha question.

'Whit daes she dae fur a livin, yir sister?'

Mads sits doon, she looks tired.

'Guess.'

'Professional boxer?' ah says.

'Nut.'

'Gowf baw diver?'

'Whit?'

'It's somebudi whae dives intae lakes at gowf courses tae find lost baws.'

'Nut.'

'Pet food taster?'

'Nut.'

'Ah'm ah gettin warm?'

'Nut, yi'r Baltic.'

'Ah gies up, whit daes she dae?'

'She's a Sheriff.'

'Whit, like in thay cowboy filums?'

'Dinnae be daft, it's like a kindae judge.'

'A judge? Dis she wear a wig an aw?'

'Sometimes, thiy're tryin tae get rid oh aw tha auld stuff.'

Ah look at Mads, ah jist cannie imagine it, her wi her sister a judge.

'Whit youse lookin at? She's a ways aulder than me fur a stert.'

'Ah cannie sees it ah jist cannie sees it.'

'Yi dinnae think ah've goat the brains tae be a judge masell?'

'Oan the contrary, tae much brains. Hae yi goat a picture oh her?'

Mads gets oot her phone an flicks thru fur a minute or twa.

'Here, feast yir een.'

She hauds the phone up an ah looks at the wee photy, 'ah kin see the resemblance, hoo auld is she?'

'Thirty twa.'

'Is tha nae awfy young fur a judge?'

'Thiy're tryin tae get awa frae aw they auld white guys.'

'Dis yi think she widnae hae goat the joab if she hadnae bin a young black wuman?'

'Cannie say but ah doubts it wis a hindrance.'

Ah gets me an Mads twa beers frae the fridge an some crisps.

'Has she iver sentenced onywan tae deith, wi the wee black cap an aw an sayin *an may God hae mercy oan yir soul* like?'

'Course nut, yi kens wi dinnae hae capital punishment in Scotland an sides she maistly does civil cases, nae murders an such.'

'Still she's a judge an she's gien yi the cash fae tha criminal Kenny, ah hope neither oh them finds oot aboot the ither.'

'Ah wis thinkin tha masell.'

Friday the bell rings. Ah opens the door, it's Kenny.

'Yi used the bell? Whit aboot the germs?' ah says.

'Aye, wi ma elbow.' He hauds it up tae show me hoo he did it.

'Aye, tha wid be yir elbow richt enuf,' ah says. 'Well done, bravo.'

Wi are makin some progress at least ah thinks, yi kin still

see his bootmarks oan the door frae the lest time he wis here.

'Ah've goat yir money,' ah hauds the envelope oot but dinnae haund it ower.

'Guid fur youse,' he says.

'Ah'm wantin tae ken this is the end oh it, nae mair efter this?'

'Dinnae be daft, she's nae livin in the flat ony mair sae nae mair rent, dis youse think ah'm some kind oh crook or whit?'

Ah dinnae answer tha but gies him the envelope an he walks awa.

'A thanks wid be nice,' ah says.

He gies me the finger ahint his back.

Ah tells Mads when she gets back.

'Did youse get a receipt?' she says.

'Whit, ah didnae think?' ah says wioot thinkin.

Ah see she's laffin,

'Only kiddin,' she says.

Next day ah gets wan oh thay wee spyglass things tae put in the door. Taks me quite a whiles tae put it in but ah'm pretty proud oh ma handywurk. Ah shows Mads when she cams back. She taks a look.

'Yi'v put it roun the wrang way yi daft bugger,' she says. 'People ootside kin see everythin yi'r doin in yir ain hoose, hope yi'v nae bin misbehavin.'

The Twilight Zone

Ah'm standin ootside the Twilight Club. Ah've goat a sorta dejavu frae yon Komedy place sae ah tries oot a bit oh the *batnabaw* sang an it seems tae help a bit. There is a big queue oh teenagers aw gruntin an makin animal noises, an twa bouncers tryin tae see some identity frae them wioot much luck. Ah gaes roun the queue an says tae wan oh the bouncers,

'Ah'm oan the guest list.'

'Whit's yir name, pal?' he asks.

'Art.'

He crosses ma name aff oh some scrap oh paper an stamps ma airm wi a wee purple smudge. Ah looks at it,

'Whit's tha meant tae be when it's at hame?'

'It's a mune,' he says.

'Course, stupit oh me nae tae see tha.'

Inside the place is really heavin, loud an crowded. Ah decides ah need some anaesthetic smartish sae ah orders a hauf an a hauf at the bar. Ah've heard it's the ideal alcohol concentration tae get intae yir system the fastest. The barguy asks me if ah'm wantin single malt?

'Jist gies the cheapest blend,' ah says.

'Tha's aw wi'v goat, pal,' he laffs.

Ah'm standin by the side oh the stage tae the richt when they cams oan. Mads is wearin jeans an a kind oh vest wi string straps. Youse kin see this side oh her breist which ah find much mair sexy than when youse sees a wuman's cleavage frae the frunt. Mind ah'm nae wantin tae come ower aw Harvey Weinstein here, it's jist a pure aesthetic observatiun. Ah'm really nervus fae her but ah shouldnae hae bothert. She whacks oot the furst note oh the song like she's bin daein it fur years. Ah'm stertin tae wunder if she really is an Aspe. They are guid, the band, but aw their sangs is a bit the same efter a while.

Efter the gig she cams up tae me at the bar. Ah hans her the pint ah've goat fae her in advance an she taks a big swig an then wipes her mooth wi her sleeve, she's put her jaikit oan ower her vest.

'An?' she hauds oot an imaginary mike tae ma mooth.

'Nae bad, nae bad. Dis it nae bother youse, standin in frunt oh aw these people, youse wi yir Aspe condition an aw?'

'The Aspe's only a problem when yi has tae be yirsell. Standin up there tha's nae me, jist like when youse is phonin aw thae telesales people.'

'Aye, ah dinnae think aboot it when ah'm wurkin, the

phone thing, but if ah hae tae gae intae a strange shop ah'm quakin. Whit ah dinnae unerstan tho is tha fur a proper certified Aspe yi seems tae be able tae deal wi everythin an awl thae people much better than me?'

'Dinnae forget mind tha ah've had thri year oh trainin an exercises wi doctor Kowalski,' she says.

'Wis he yir heid doctor?'

'Aye, the *batnabaw* man.'

'An it helped yi?

Mads shrugs.

'The main thing he wis aways bangin oan aboot wis tha Aspes are terrified aw the time whit ither people are thinkin oh them an whit thiy're daein whiles the truth is naebody else gies a fuck aboot yi, thiy're aw wrapt up in their ain lives. Far frae carin they hivnae even noticed yi wis there in the furst place, thiy've aw goat their ain problems stackin up.'

'Ony mair nuggets oh useful info?' ah asks.

'Wan thing wis he cawed ownin yirsell.'

'Whit's tha?'

'It's when yi does hiv tae stick yir heid ower the parapet nae apologisin. Ah mind tellin him a story oh when ah wis aboot six an a new wee gurl cams intae oor class. Her name wis Mary Smellie but when the teacher says it iverywan laffs an the wee gurl says *it's nae pronounced Smellie but Smiley* an they laffs even mair. Ah felt awfy sarry fae her.'

'As yi wid.'

'Wheniver wi had a new teacher it wid aways be the same agin wi iverybudy laffin at her aw ower.'

'Whit did yir doc recommend?'

'He says imagine she'd cam up tae aw us an said oan day wan, ma name's Smellie, ah'm smelly awright, dis yi want tae smell me? Iverywan wid hae respected her. An when a new teacher cams in she puts up her han afore onythin else an says please miss ah'm Smellie. Aw the kids wid laff but at the teacher no her. She wid hae bin the queen oh the class fur us, wi'd ah wurshept her.'

'Aye, ah kin see tha wurkin but it's easier said than done. Yi'd need tae hae nerves oh steel tae pull aff tha kind oh stunt. Whit happened tae this lassie?'

'She moved school agin efter six munths, niver saw her agin. Either married wi a new name or deid in a ditch.'

'Sae this doctor oh yourn he fixed yi aw up proper?'

'Dinnae be daft, he wisnae a miracle wurker. The lest thing he iver says tae me wis, *an don forget, Madeleine, yi is a wurk in progress.*'

'Aye weel yi'r progressin nae bad as far as ah kin see.'

Mads finishes aff her pint an jist then some oh the kiddies ah saw in the queue cams tae the bar.

'Whit is it wi these kids tha are makin aw the gruntin an noises?' ah asks Mads.

'Aw them, they caws themselves Enimalz, they winnae speak wurds, jist whit youse hearin. Drives yon bouncers mad ah kin tell yi.'

'Aye, ah saw tha at the door.'

The barguy joins in,

'Drives me mad an aw. S'no a problem if thiy're jist wantin a beer but if thiy're efter a Blue Lagoon or somethin mair exotic it kin tak hoors. Gruntin an squeakin like wee munkies. Whit're youse twa havin onyways?'

Mads sterts honkin an splutterin, then she laffs,

'Only kiddin, twa beers pal.'

Jist as oor beers is arrivin the lead singer oh the band

walks up tae us. He puts his airm roun Mads an says tae me,

'Whit dae youse think oh oor new bass player, is she nae the new Jaco Pastorius?'

Ah feel ma Aspe comin ower me noo despite aw the talk, wan thing tae ken whit tae dae anither tae dae it.

'She's nae bad consderin. Could do wi a solo mebbe?' ah says.

'Aye, wi'r wurkin up tae tha.' He sees someone else at the ither end oh the bar an ruffles Mads' hair sayin,

'See youse,' afore gaein ower tae his frien.

Ah'm relieved at the ruffling, it's nae somethin yi wid dae tae somewan youse fancied.

'Whit an erse,' says Mads when he is oot oh earshot, 'he's niver even heard Pastorius, he's aw jazzy fur a stert.'

'Tha's whit ah wis thinkin,' ah says.

Mads picks up her pint an it jist faws sudden like oot oh her han an spills aw ower the coonter. The barguy rushes up an pulls oot a massive roll oh industrial kitchen towel an sterts moppin.

'Ah'm awfy sorry,' Mads says tae him.

'Nae wurries lassie, happens aw the time, gravity, gravity, pullin us doon day in day oot, till in the end it pulls us doon wan lest time.' He gaes tae pull her anither pint.

'Ah'm surroonded by philosophirs,' Mads says lookin at her han curious like.

He brings back the pint an Mads reaches fae her purse.

'Dinnae bother hen, it's oan the hoose.'

Efter he's gone ah says tae Mads,

'Youse feelin ok?'

'Ah'm fine, ah had a puff oh the drummer's Moroccan afore the gig, wis awfy strang.'

'Well it wid need tae be tae hiv ony effect oan a drummer.' Wi baith laffs, an shares some drummer jokes but as soon as wi'v finished the pints Mads suggests wi caw it a night which is nae like her.

The Time Machine

Mads is wrappin presents fae the twins, they is aw aff tae the ballet this efternoon, the Saturday matinee at the Theatre Royal. It's Coppelia – The Gurl wi Enamel Een, tha wan wi the wee dolly ballerina.

'Youse goat ony sellitape?' she asks me.

'Aye in wan oh thay drawers.'

She sterts rummagin aboot in wan an cams oot wi a wee photy.

'Is this youse?' she says.

Ah looks, it's a wee boy whase jist drawn a pictyer oh a man in the sand wi a stick, it looks cauld.

'Ay, tha's me, aboot fower maybes.'

Mads laffs,

'Whit're youse wearin, a fluffy wunpiece wi hood? Ah likes the wee man yi'v drawn in the sand, mind.'

'Washt awa in the next tide nae doot. Awa furiver. The impermanence oh art.'

'Aye well it lives oan in the photy,' she says lookin even mair claesly at it.

'That'll be gone an aw in fifty year efter ah'm deid oan some bonfire or ither,' ah says.

'Youse could put it oan the internet sae it lives oan furiver.'

'Puttin a photy oan the internet is like pinnin a leaf in a forest. Hoo meny photys are sevin billiun people puttin oan ivery day? Niver mind fifty year, at least wan person might look at the photy puttin it oan the bonfire.'

'No iverywan oan the planit is oan the internet?'

'Aye they are, an their mammies.'

'Tha maks fourteen billiun.'

'An their dugs.'

'Tweny wan billiun.'

'An their mammie's dugs.'

'Tweny eight billiun. Aye, well tha's a lot oh photys aw richt. But ah still likes this wan. Whae took it?'

'Ma faither. He wis intae photys.'

'Fower year auld,' Mads says haudin up the photy tae ma face fae comparison, 'yi hivnae changed much in tweny year.'

'Tweny year, jist goan in a flash? Yi ken there's a wuman in the next streets tae us a hunner an twa years auld?'

'Whit? Yi'r kiddin me? A hunner an twa? This is Scotland nae Japan, yi gets tae fifty wan an yi'r laffin an dancin in the street an savin fur yir funeral.'

'A hunner an twa ah swears, her photy wis in the Herald twa year ago, bunji jumpin fae charity or somethin dangerous like.'

'Ah wantae see her deffo. Whit daes she look like?'

'She looks like a hunner an twa yi eejit. Yi'll knae her when yi sees her awright.'

Mads puts the photy oh me back in the drawer,

'Whitever happened tae yir poolside philosophy onyways?'

'Ah'm still wurkin oan it.'

'Ony progress?'

'Ah'm tacklin it in twa directions. Furst ah'm imaginin whit it's like tae be deid.'

'Whit, like blackness an silence an aw tha?'

'Nah, tha wid be easy. Yi wid jist claes yir een an stick yir fingers in yir ears. Nah, youse hivtae imagine there's nae even blackness an nae even silence. Ah'm practisin ivery day.'

'Ah thocht yi wis lookin a bit glaekit at dinner lest night.'

'Ah'm nae daein it when ah'm wi youse.'

'Let me try,' she says puttin her fingers thigither in some daft yogaish pose.

'Nuthin.' She maks a surprised face, 'hang oan wis tha no whit ah wis supposed tae be feelin?'

'If yi'r nae gonnae tak it serious.'

'Nah, nah, am interested. Yi says yi had twa approaches, whit's the ither wan?'

Ah look at her suspicious like but decides tae gae oan.

'Aye ah'm tryin tae see whaur ah am.'

'In Glesgae?'

'Nah yi daft bugger. Whaur yir mind is? Hoo big it is? Whaur it's located?'

'Ah think it's ahint ma een. Isit no?'

'Aye, tha's whit iverybudy thinks.'

'Whit aboot blind people?'

'Ah dinnae ken ony tae ask. Anyways hoo big is it fur youse?'

'Whit, hoo big is whit?'

'Yir conshusness. Is it the size oh a grain, or a gowfbaw,

or yir whole heid?'

'It seems bigger than aw thae. In fact it seems the size oh this room an if ah wis ootside as big as the street, like a kind oh mirror thing oh whit am seein.'

'An if yi clases yir een?'

Mads clases her een,

'Like enormous. But alsae wee, like a marble.'

'Ah'm getting tha an aw. Noo kin youse move it aroun?'

Mads scrunches her face up,

'Ah dinnae think sae.'

'Move yir heid up an doon like yir noddin.'

Mads does.

'Is yir conshusness gaein up an doon wi yir heid?'

'Aye,' Mads says still noddin which looks funny. 'Up an doon, up an doon.'

'Noo stap movin yir heid but keep the conshusness movin.'

Mads staps noddin, an thinks fur a wee whiles,

'Tha's nae sae easy, ah'd need tae practise tha.'

'Aye, am wurkin oan it, tryin tae detach ma self frae the boady.'

'Mebbe if youse gets guid at it youse kin hae yirsell roamin ootside the boady. Ah saw a wee video whaur they showed tha if youse bends ower yir centre oh gravity acshually leaves yir boady. They showed it wi a wee yellow baw. It wis a bit scary.'

'Well yir centre oh gravity is wan thing, yir conshusness is anither kettle oh fish.'

Mads gaes back tae her sellitapin an efter five minutes hauds up the wee presents.

'Whit daes youse think?' she says.

'Guid joab.'

'Ah better get gaein, ah'm meetin the twins at Queen Street an ah dinnae want tae be late an hae them hangin aroun oan their ain.'

She cams hame at aroun nine lookin a bit tired, nae wunder ah thinks.

'Ah took them back tae Coatbridge, didnae want tae put them oan the train thirsells sae late,' she says.

'Whit wis it like, the ballet?' ah asks.

'Shite.'

'They didnae like it, the wains?'

'Naw, they luved it, they wis in heaven wi aw they sparkly dresses an grinnin ballerinas. They even goat some autographs at the stage door. The whole audience wis wee gurls wi their mammies aw swoonin. If they had jist brocht a few ponies ontae the stage tha wid hae bin perfection fae the lot oh them.'

'Nae wee Billy Elliots aroun then?'

'Didnae see ony, jist lassies. Anyways dis youse want tae see some selfies?'

'Aye, go oan then.'

Mads gets oot her phone an shows me the photys, wan in Queen Street Station wi Mads kneelin an the twins heids oan either shoulder aw grinnin. Wan ah likes is wi the thri oh them aw takin photys oh each ither like a kind oh Mexican standoff. Wan pose there is aboot fifty photys aw nearly the same.

'Ah gied ma phone tae some Japanese wuman in George Square an says jist tak a photy an she went crazy clickin awa like a mad thing, it must be genetic ah thinks.'

'Is tha no a racist thing tae say?' ah asks.

'Aye probabalmente, but ah kin think oh wurse things tae say aboot a nation than they are photographically challenged.'

'Fair enuf.'

'Wan mair, tha's us in McDonalds.' The thri oh them are sittin wi burgers an fries haudin their hans as if thiy're gonnae attack their food wi their mooths wide open, thiy're aw wearin wee cardboard hats.

'Youse certainly kens hoo tae show somebudi a guid time.'

'Aye wi had a laff aw richt.'

Ah taks a claser look at the photy.

'Whit's tha yi'r drinkin? Is tha a bottl oh IrnBru?'

'Aye. Scotland's ither national drink.'

'Yi kens tha wheniver a bottl oh IrnBru is opened a dentist dies?'

'Aye, ah kens tha, but the twins luvs it, yi should hear them sayin *made frae gurders*.'

'Is youse seein them, the twins, agin?'

'Aff course, but nae fur a wee while, yir sister is takin them oan a wee holidays tae the Solway in a caravan, help them get ower their da.'

'Aye, tha's a guid idea.'

Yon Thing Frae Anither Wurld

Wan night wi'r sittin watchin telly, it's *Gogglebox*, Mads is aye suggestin wi should be oan cause wi'r aways makin sarcastic remarks when wi watches the telly, an ah aways hiv tae remind her tha wi are twa Aspes an Aspes dinnae generally likes ten milliuns watchin them jist bein thirsells.

Anyways at the end oh the programme ah says tae Mads, 'Wi dinnae hae meny friens dis wi?'

She thinks fur a mo.

'Friens is overrated. Me, ah prefers fair weather friens. When things is gaein bad youse dinnae want people hangin aroun sayin ohoh, this disnae look guid, bad move there yi ken, tha's the lest thing yi wants. But when things is lookin up then yir fair weather friens will be straight roun cheerin youse oan wi bravos an sky's the limits an pattin yir back.'

'Ma point is wi dinnae hae ony friens, fair weather or bad weather.'

'Yi'v goat Mario at the call centre?'

'Ah widnae say he's a frien, mair an acquaintance. Fur instance ah widnae want tae spend an evenin wi him efter aw.'

'Whit aboot Mrs Patel in the Sevin Elevin, she even kens yir name.'

'Ditto.'

'The postie?' She's scrapin the barrel noo.

'Ditto.'

'Yi'r stertin tae soond like yon charactir in tha *Ghost* filum.'

'Ok, when ah cams back tae haunt youse tha's whit'll say, ditto,' ah says.

'Mebbe ah cams back tae haunt youse instead.'

'An whit'll youse say when yi cams hauntin?'

'Is ma han wet?' she maks her voice gae aw wobbly an ghosty. She carries oan,

'Anyways if yi'r efter friens ma auld flatmates Ashley an Wullie has bin pesterin me tae gae tae their local Filmioki night fur ages.'

'Whit's Filmioki?'

'It's the same as Karaoke excepts yi dinnae sing, youse acts the pert in some filum yi'v chosen. Yi kin see the wurds oan a screen an thiy've left in the music an the ither person's voice if yi'r speakin tae someone. Sometimes they gies yi a wee prop tae help oot.'

'Disnae sound like ma kindae thing yi ken.'

'It wid be guid fur yir Aspe development an sides it's nae like yi'r bein yirsell. Yi kin look at yir text afore yi gaes an practise. There winnae be meny there an yi will like Ash an

Wullie, thiy're baith daft. Also yi wid dubble yir number oh friens in wan go.'

'Whit filums is it yi kin dae?' ah asks.

'Yi kin choose whit yi want, they hae a list online. Maistly big stuff, *Casablanca* is the maist popular, an *Titanic, Fower Weddins*, the usual suspects.'

'Ah'm nae ony guid wi accents, ah couldnae dae American or even English.'

'They hae Scottish filums an aw, let me hae a wee look.'

She opens her laptop an fiddles aroun,

'Here, whit aboot *Local Hero*, or *Gregory's Gurl, Whisky Galore, The Wicker Man*? Oh aye this is the wan fur youse, *Bravehairt*.' She sterts shoutin Freedom aw ower the place sae tae stap her ah asks,

'Whit pert wid youse dae, if wi went tha is?'

'Ah'm thinkin aboot *The Prime oh Miss Jean Brodie* masell. But youse kin dae dubbles, like me an youse thegither if youse prefers. Mebbe *Bonnie an Clyde*?'

'Nah ah thinks ah'd rather get it ower wi as a solo, jist masell,' ah says.

'Ah'll tell them wi'r cummin the morn?' She's aw excited noo an ah dinnae want tae disappoint her.

'Aye, gae oan, ah may regret this.'

In fact ah am awready regrettin it as ah speaks.

Wi gets tae Supercube aroun hauf eight. Yi registers yir choice oan entry an they gies yi an approximate time. Mads spots Ash an Wullie whae has jist bagged a table near the frunt. Wi aw crowds aroun it.

Wullie says tae Mads,

'Sae this is yir new boyfrien then?'

'He's nae ma boyfrien,' Mads says.

Wullie looks me up an doon sayin,

'He looks like a boyfrien, talks like a boyfrien, walks like a boyfrien an quacks like a boyfrien.'

Ash laffs but Mads gies me a look.

'Ah'm nae her boyfrien,' ah says.

'Aye, whitever pal,' Wullie hauds up his hans an ah realise ah must hae said it a wee bit too forcefu like.

'Whit youse aw wantin?' ah says tae steady the boat.

'Heavy fae me,' says Mads an the ither twa nods.

'Fower heavies then, easy tae remember, richt back.'

Ah gets the fower pints an asks the barguy if he's goat a wee tray, dinnae want tae Angela Merkel somewan oan the way back as it's getting pretty crowded. Did Mads nae say there widnae be meny people? The barguy gies me a wee black tray,

'Bring it back mind.'

'Nae worries.'

As ah gets back tae the table ah'm worryin if thiy're aw talkin aboot me but thiy're gaein oan aboot Kenny an his visit.

Efter wi sorts oot the drinks an dis a cheers Ash says,

'Sae yi'v met Madses ex, Kenny?'

Ah looks at Mads, it's a wee bit oh a shock yon informatiun. She glowers ower at Ash, an then shrugs at me,

'There's nae ex aboot it, it wis jist the wance.'

'Look thiy're aboot tae stert,' Wullie interrupts luckily as some guy, the furst victim, steps up tae the mike. 'Aw naw, nae *Taxi Driver* agin,' Wullie says or rather shouts oot sae iverybudy looks ower at us, 'it's aways oan. Is youse lookin at me? Use some imaginatiun pal. There's thousans oh filums tae choose frae.' Wan thing is certain tha Wullie is nae Aspe.

Hauf an hour later ah'm up next, ah'm shakin but ah've nae choice noo. Tis a far, far better thing ah daes than ah hiv iver done afore. Ah gets up oan the wee stage ma legs like lead. Ah've goan fae the minkey scene frae tha Peter Sellers Clouseaux filum wi the blind busker. Well ah'm nae wantin tae dae an English or American accent an ah gets quite a few laffs wheniver ah says minkey. It's ower in a flash an ah kin nearly says ah enjoyt it.

Wullie an Ash is very complimentari an Mads says,

'Ah'm proud oh yi, whit a hero.'

Mads up next has gone fae the Miss Brodie filum efter aw an daes the *creme de la creme* bit frae the stert oh the movie, she is wearin a scarf an has the posh Embra accent nailt tae a tee. She gets the biggest clap oh the evenin naturalmenti. Wullie an Ash hae gone fur a dubble act wi a scene frae *As Guid as it Gets* wi Wullie as Jack Nicholson an Ash as Helen Hunt. Thiy're nae bad an ah've the feelin oh wantin tae see tha filum agin sometime.

By the end oh the evenin wi'v had *Godfaither*, twa oh the *Bladerunner* wi the white hair guy, *Some Like it Hot* an loads oh ithers an wi are aw fower pretty merry. Ash an Wullie are daft as Mads said, hecklin like mad ivery ither act an efter oor awkward stert wi gets oan braw. Wi finds oot their ex landlord has bin roun tae them an aw askin fae money an sae wi spends a lot oh time talkin aboot differen ways oh killin Kenny, jist like in tha *Southpark* thing.

Efter, wi walks oor new friens tae Cowcaddens whaur they jumps oan the subway an wi carries oan hame oan foot.

Wi arrives at the hall. Ah'm a wee bit fiert it'll be rough an dangerous but aw the people is friendli. Maist seem tae ken Mads an aw.

Wan shouts oot,

'Look whae's back.'

Mads says tae him,

'Wantin a game Gregor, fiver oan it?'

Gregor laffs,

'No ways Mads, it'd be quicker tae jist gie yi the money straight oot oh ma pocket.'

He turns tae me,

'Dinnae play this lassie fae money, she's a con-artist, she'll tak aw yir money an leave yi greetin in the street.'

Mads gets us a table an a cue fae me an ah fetches us twa pints. By the time ah'm back she has set up the table.

'Here, youse kin break,' she says.

She moves ma airm up an doon till it's in the richt place.

'Noo hit them red baws wi the white, hard as yi kin.'

Ah hit the white an the reds spreads oot nice.

'Nae bad,' Mads leans ower the table an sterts rattlin the baws doon like some mini Ronnie O'Sulivan. She's goat forty sevin afore ah even gets anither shot. Ma cue skites aff the side oh the white baw an it hardly moves. Ah looks roun hopin naebody wis watchin, naebody wis aff course, when will ah iver learn?

'Foul, fower tae me,' Mads says wioot a hint oh mercy movin the wee coonters up tae fufty wan.

Talk aboot a baptism by fire.

'Dinnae fret, efter this game wi dae some practice shots,' she says.

Once she has pottet aw the baws she sets up fae me. She

puts jist wan red baw near tae a pocket an puts the white baw twa inches awa.

'Ok champ, knock it in.'

'Are youse makin fun oh me?'

'The langest journey sterts wi a single step.'

'Ah'm thinkin this is gonnae be a lang journey.'

Ah knocks the baw in, hallelujah, an she sets it up agin a bit further awa. She adjusts ma airms an says a milliun times *dinnae move yir heid.* Efter a hauf hour ah kin get the red in frae quite a ways awa.

'Wid it help if ah claesed ma een like them Zen archers?' ah asks.

'Gie it a gae, cannie be ony wurse than wi yir een open, but carefu mind, yi tear the claith an it's thri hunred poonds.'

Wi discover tha claesin yir een disnae help, it's nae wurse mind but nae better either.

Some guy cams up tae us.

'Ah hears yi'r guid,' he says tae Mads.

'Nae bad, an yirsell?'

'Ah kens ma ways aroun, wantin a game? A fiver oan it?' he says puttin a fiver oan the side oh the table.

Mads looks at me tae see if am ok wi it?

'Ah could dae wi a wee rest,' ah says. Ah whispers tae Mads, 'be carefu, he's goat his oan stick, he's nae usin wan frae here, mebbe he's a con artist an aw.'

'Dinnae fret,' Mads answers. She puts her fiver oan tap oh his an tosses a coin fae break. A wee crowd gathers roun the table. When they gets startet ah kin see Mads wis gaein easy oan me. The laddie is guid but nae in her class. As she knocks in the lest baw he nods in appreciatiun. The wee crowd claps an aw. Wan kiddie shouts oot fae Mads tae marry him.

'Dubble or nuthin?' Mads says tae her challengir.

'Yi'r aw richt lassie. Ah'm nae throwin guid money efter bad,' he says walkin awa an the crowd disperses.

Mads hans me the twa fivers an says, 'twa mair pints, oan the hoose if yi pleases.'

Ah pleases.

When ah gets back wi the beers ah asks her,

'Why di yi nae play professional like? Yi must be guid enuf surely?'

'Yi hivtae practise like mad, an ah finds it borin efter a while. Yi'v only goat wan life efter aw. Time is short, ah've goat better things tae do than hang aroun here knockin baws aroun a table.'

Wi plays anither proper game an this time ah manages tae get some points, nae meny mind, but it's a stert tho ah'm sure Mads is gaein easy oan me.

Coherence

Wi'r standin ootside a block oh flats. It's whaur Ash an Wullie lives since they moved oot oh the flat wi Mads, an wi'r invitet fae dinner jist like normal people.

'Whit flair is they oan?' ah says lookin up.

'Fifteen,' says Mads.

'Ah hopes the lift is wurkin.'

'Me an aw.'

It is but wi hae tae wait ages fur it.

'Nae smell oh pee,' Mads says, 'must be wan oh the few lifts in the whole oh Glesgae tha disnae reek.'

The new flat is pretty nice too wi a view richt across the city.

'There's posh,' says Mads. 'Kenny did youse a favour chuckin yi oot.'

'Youse an aw,' Ash says.

Wi'v brocht some Cava tae celebrate their move an twa bottls oh Rioha fae backup.

Wi gaes oot oan their balcony fae the sparklin wine.

Wullie pops the cork an it flies awa doon tae the street a lang ways below.

Wi looks doon but wi cannie see it. Lucky there's no wan wanderin aroun doon there.

Ash hits Wullie oan the shoulder, 'yi could hae kilt somewan wi tha, yi eejit.'

'It's jist a cork, nae a block oh concrete,' Wullie says pourin oot the wine.

'Hoo did youse twa meet Mads?' ah asks tae change the subject.

'Wi wis at the same school, nae in the same class mind,' Ash says. 'Wan days wi, me an Wullie, wis in the playgroond, sharin a fag, an this lassie cams up tae us an says, *kin youse twa say yi'r ma frien, yi dinnae hiv tae dae onythin else, jist says it an ah'll be awa.*' Ash uses a funny high baby voice an Mads glowers at her.

Wullie taks ower, 'wi looks at each ither quizzical like an baith says *wi'r yir frien* an she says *gracias* an walks awa jist like tha.'

Mads sighs but she must hae kent this wid cam oot. She sterts tae explain, 'ma heid doctor...'

'The *batnabaw* doctor wan,' ah interrupts.

'Aye him, he tellt me fae ma weekly Aspe exercise ah had tae get twa people tae say they wis ma friens. Ah wis jist gettin it ower as quick as poss.'

Ash refills oor glasses, tha fizzy stuff gaes doon fast, an carries oan. 'Wi wis intrigued sae wi askt aroun an foun oot her name wis Madeleine but iverybudy jist cawed her Mads because she niver talked tae onywan. Wi felt privileged tha she spoke tae us sae wi finds her an says, *noo wi'r friens wi hiv tae hang oot thegither.* She wisnae happy but wi says *it's the rules* an she agreed in the end.'

'Didnae gie us much choice,' says Mads, 'it wis like hacin twa stalkers poppin up ivery time ah turned a corner, *hola Mads it's yir new friens, want tae play wi us?*'

'An then ah stupidly taks her tae ma snooker club wan night an she hammers me, she had niver played afore, it wis sae embarassin,' Ash carries oan.

'Yi'r aye exaggeratin, Ash, onybudy could hae hammert yi tha night, yi had jist dooned hauf a bottl oh vodka,' Mads says.

Wullie finishes aff the story,

'Tae cut a lang story short when wi goat the flat frae Kenny wi needed anither fae the rent sae aff course wi thocht oh Mads. Wi kent she'll nae be bringin huners oh friens roun, in fact if she invited them aw, ivery wan oh her friens tha is, aw at the same time, it'll still jist be us thri.' Ash an Wullie laffs.

'An the rest is history,' Ash says.

'See whit ah had tae put up wi aw these years?' Mads says tae me.

'Tha's whit friens are fae, Madeleine.' Wullie puts his airm roun her shoulders.

Wi gaes back intae the flat fur oor dinner. Mads stretches her airms oot,

'Ah cannie believe hoo much space yi'v goat, oor lest flat wis sae crampt.'

'Aye especially efter yir Wee Malkie showed up,' Wullie says.

'Is yon Malkie wee then?' ah says hopin tha he's tiny.

'Nae, he's normal size, wi caws him tha because oh yon

poyem aboot they hooligans yi ken *Whitl yi dae when the wee Malkis come?* But he's nae a hooligan an aw,' Wullie says.

'Aye, he has a posh Embra accent, it sounded like the queen when he cams tae visit. *Wi haves a very large house in Portobello don't yi know,*' Ash says in a weird accent. Funny voices seems tae be her speciality.

'He disnae talk like tha an he's nae posh, his faither's a lorry driver,' Mads says.

Wullie nods ahint her back an mooths the wurd *posh* tae me.

Wi sits doon at the table an Ash gets some warm up curries frae Lidl oot oh the oven. Thiy're nae bad an there's even popadums an aw an chutni. Wi tells them aboot the Porty burglary sparin nae details, in fact mebbe even addin some details.

Eventually Wullie serves up dessert, it's cookies n cream saft scoop.

Ower the puddin they masitly talks aboot whit a nightmare Kenny wis as a landlord. If somethin wisnae wurkin, like the heatin, an they cawed him roun, he wid jist turn up an gie it a guid kickin, it usually wurked, he cawed it *The Golden Boot.*

Ah looks at the time, wi'v missed the lest subway an the night buses kin be a wee bit hit an miss, actually mair miss than hit. Wi decides tae splash oot oan a taxi. Wi gets a baldi taxi driver whae seems tae hae a sense oh urgency an whizzes us aff at some rate thru the city centre, mebbe he's left the oven oan. Oan the corners the g-forces reach astronomic proportions.

'Hey less oh the *French Connection*, pal,' Mads shouts oot holdin ontae the leather strap tae stay upright. The driver eases up a little sayin,

'Youse wantin hame or no, lassie?'

As Mads is payin him she says,

'Pal, watch oot fur eagles carryin tortoises.'

The driver conditioned by years oh incoherent drunken babble taks nae notice oh her but when wi get in the hoose ah asks, 'whit wis tha aboot eagles?'

'Some ancient Greek writer wis killed by an eagle drappin a tortoise oan his baldi heid, thocht it wis a stane, tae break the tortoise shell.'

'Tha must hae hurt. Ah'm bettin he didnae see tha cummin?'

'Acshually he did in a ways, he wis ootside cause somewan had prophesied tha a fallin object wid kill him sae he thocht it wis safer tae be oot than in.'

'Tha's whae they aways says, better oot than in. Ah'm nae convinced wi they prophesies tho. Life is jist wan corner efter anither an yi hivnae a clue whit's aroun the next.'

Demon Seeds

Ah wakes aroun six tae the sound oh Mads pukin in the toilet. She cams oot lookin a bit wan.

'Did ah wake youse?' she says.

'Nah, ah wis up awready, ah normally gets up aroun six tae gae joggin, mind.'

She ignores ma frivolity an gets back intae the bed, she's shiverin a bit an awfy pale.

'Maybes yi'v et somethin lest night?' ah asks.

'Youse hed the same tae eat as me, youse feelin awright?'

'Ah'm fine.'

Neither oh us wants tae mention the elephant in the room an this wans no Kenny either.

Eventual ah tak the plunge. Ah lifts the covers aff her heid an asks,

'When is yir periud due?'

'Twa days,' she says wioot hesitatiun pullin the covers back ower, she's aware oh yon elephant an aw.

A wee silence, ah guesses wi'r baith thinkin oh whit wi'v bin cawin *the incident* twa weeks agae wi a wee condom mishap, kin happen tae onywan.

'Wi could jist wait an see in twa days or wi could get wan oh them test things?' ah says.

'Mebbe let's check the noo, save us wurryin, kin youse gae fur us?'

'No problemo.'

Ah pops doon tae the Sevin Elevin efter breakfast, Mads jist haein a black tea.

Ah han ower the test tae Mrs Patel.

'It's nae fae me,' ah tells her.

'Well, Art, they kin dae wunnerfu things wi science these days, youse niver knows,' she says. 'Guid luck tae youse, whitever answer yi'r efter.'

Ah gie the box tae Mads, there's twa tests in there.

She pees oan wan oh the sticks an wi waits.

Efter ten minutes ah says dramatic like,

'An the verdict is?' Ah maks a kind oh drum roll soun an beats wi ma hans.

She looks at the stick an says,

'No guilty yir honour.'

'Hallelujah,' ah says. 'Mebbe wi should celebrate?'

'Nae me, youse kin, ah'm back tae bed.' Mads crawls back intae the bed an pulls the covers back ower her heid agin.

By dinner time she's feelin a wee bit better an even manages tae eat some tortellinis.

Ah ventures oot tae get some beers frae the Sevin Elevin noo tha Mads seems tae be back in the land oh the livin. As she gies me ma change Mrs Patel says,

'Guid news, Art?'

'Aye. Yi could say.'

'Ah'm happy fae the baith oh yi, here, gie this tae wee Mads, she likes them, oan the hoose,' she says handin me a Finger oh Fudge.

Ah gies the chocolate bar tae Mads,

'Jist whit ah fancied,' she says pullin aff the wrapper.

'A present frae Mrs P,' ah says.

'She's awfy kind.'

Wi opens the beers.

'She wis happy wi had guid news, Mrs Patel,' ah says.

'Did yi tell her exactly hoo happy wi is?'

'Nah, she's nae conception hoo happy wi are,' ah says settin Mads up, wi should be oan the stage like Morecambe an Wise.

'Wi'r the wans wi nae conception,' Mads laffs an wi clink cans.

Wi tak a few gulps an ah says,

'Jist imagine tha moment oh conception, tha furst cell, it must be like somewheres in yir body, it should hae a wee blu plaque oan it sayin *here is the furst cell oh Mads,*'

Mads thinks a wee bit, she is definitely perkin up.

'But dinnae they cells divide in twa, sae whae kin tell which is the original? In fact tha means ivery cell in yir body is the furst cell in a ways,' she says.

Ah'm hangin oan tae ma idea in the face oh scientific opposition hooever,

'But sae yi sticks yon wee blu plaque ontae the furst cell an there is only wan oh them plaques an then in tweny thri years yi looks whaur the plaque is an tha is the furst cell. Bingo.'

'Aye but if yi puts the plaque oan the left oh the richt oh the furst cell it wid end up in a completely differen cell an efter aw they milliuns oh splits it could be onywheres in yir body, ah'm tellin yi thiy're aw the furst cell.'

Ma heid is spinnin but she carries oan doon the rabbit hole.

'In fact yir cells is jist divided frae yir mammies cells sae ivery cell in aw oh us is the furst iver cell frae some amoeba in the primordial soup.'

'Which youse wouldnae eat, mind?' ah says thinkin back tae the Komedy Klub.

'Aye, well thae amoebas get stuck in yir teeth.'

Ah've also fetched a wee quart oh whisky an ah pours us twa glasses, it's like medicine efter aw.

'If wi did hae a baby, which wi'r no aff course, oor genes wid probably get oan wi each ither,' ah says.

'Aye. Wi'r quite simpatico.'

'Mind, it wid be handy if yi could pick which genes tae tak an which tae chuck.'

'Aye, but the ways science is progressin tha willnae be lang.'

'Well furst yi could ditch the gene tha maks wan like Phil Collins.'

'Aye. Tha's a lonely gene, youse niver meets onywan whae admits tae havin it.'

'But he's sold milliuns oh records sae it must be aroun aw ower the place.'

'Ay, ah wunders an aw whaur aw they records is, yi niver see ony, people must hae them hidden awa wi their porn collectiuns.'

Wi opens the ither beers as the whisky is aw goan. Ah'm thinkin oh sayin whaur is the whisky oh yesteryear, but it's tae obvious, doon iverywan's gullets.

'Naewan saw me bein born,' Mads says oot oh the blue.

'Whit, nut even yir mither?'

'She had her een clased, plus yi cannie see tae well doon there, plus it wis dark.'

'Whit happened?' ah asks makin masell comfy, this souns like a lang wan.

'It wis the middle oh the night, a storm wis ragin ootside, when it sterted yi ken.' Mads has goan aw Edgar Allen Poe oan me but ah jist let her carry oan. 'Ma faither rushes oot intae the howlin wind an rain tae fetch a doctor. Meanwhile ah goat a wee bit bored in there an thochts tae masell, ah'm nae hangin roun, ah'm getting oot oh here smartish. By the time ma da goat back wi the doctor there ah wis makin a brew fae them an aw.'

'Yi'r makin this aw up?' ah says doubtful like.

'Well ah didnae mak them a cup oh tea oh course an there wisnae a storm as far as ah ken, but the rest is gospel, cross ma hairt an hope tae die.'

'Whit aboot yir sister, Shona?'

'She wis sleepin. Yi cannie say tae a wee nine year auld gurl ah'm aff fae the doctor, here's a pair oh scissors jist in case onythin happens, an some sellitape, dae yir best.'

'Mebbe yi wisnae born at aw, mebbe yon aliens jist drapt yi aff tha night.'

'Aye, tha's whit ma da aways thocht aboot it.'

The Brain

Mads has a new hobby, she's tappin awa at her laptop oan the wee table next tae the windae.

'Youse oan Facebook?' ah asks her.

'Nah, ah'm writin.'

'Whit, a novel like?'

'Nah, science fictiun, short stories.'

'Kin ah see?'

'Thiy're nae finished yet.'

'Go oan, jist a wee snippet, a teaser.'

Mads flicks thru a couplae screens oan her laptop.

'Ok, this wan's cawed *The Happy Curves.* There's this couple whase made their fortune thru intelligent furniture tha maps yir body an adjusts itsell tae youse when yi sits oan it. Wan night thiy're wakened by their frien Max whase a mathematician like. He's bin workin oan a theory oh happiness. Yi ken yon idea tha if everythin wis aways perfect youse widnae be happy?'

'Like wan oh they sultans tha has everythin handed tae him oan a plate, food, sex, onythin he wants, an he's bored stupit?'

'Aye, yi has tae want things, tae build up an appetite fae somethin tae be happy. Anyways yon Max has bin wurkin oan mathematical formulas aboot jist when things should happen fae maximum effect. Like yi'r wantin somethin, yi'r desperate, wait a wee bit, wait, an bingo, the perfect time. He puts them doon as mathematical curves.'

'That'll be yon Happy Curves? An he's found oot his formulas shows him he's bin leadin the perfect life, his dreams aw cummin true at jist the richt moment?'

'Exactamenti. Sae tha means he's leadin a life tha's bin mapped oot in advance.'

'An noo?' ah asks.

'Noo the curves shows tha this discovery is the crownin moment oh his life sae it must be the end oh it. He has a hairt attack an the ambulance taks him awa unconscious dyin.'

Ah nods,

'An whit happens tae the couple?'

'They realises if the wurld is designed aroun Max then they is nuthin but extras in his life an stert tae see each ither fadin awa as he is dyin. They squeeze in a quickie afore they disappear.' Mads hauds oot her hans.

'As yi wid. Tha wis braw, tell me anither.'

Mads scans aroun a bit mair.

'Well this wan's nae even sterted really, hasnae even goat a title. It's aboot some scientists whase wantin tae reconstruct the brains oh composers, yi ken like Beethoven an Bach. Usin their music as a kind oh blueprint.'

'Sae aw the whiles wi thocht theys wis jist makin some nice wee tunes they wis mappin oot their brains fae posterity?'

'Exactamenti.'

'Hang oan tho. Ah thinks ah sees a plot hole. Hoo meny notes did Beethoven write onyways?'

'Ah wis tryin tae look tha up in Google. Wan concerto oh his wis tweny thousan. Ah'm guessin he wrote roughly aroun tweny million notes ower aw.'

'Sae theys feeds aw they notes intae the machine an it produces their brain patterns? But is there no billiuns oh brain cells an aw in yir heid, ah doubt tweny milliun notes wid hack it?' ah says.

'Aye, ah'm wurried aboot tha aspect. Mebbe ah should jist dump this story?'

'Nah, it's interestin, jist stick it in the middle near the end, nae the lest story mind, tha aways gets attenshun. Gies anither.'

'This wan's cawed *Shiteaters*. Some aliens frae anither planet find they hae a taste fae human shite. They jist cannie get enuf, they luv it. Earth is exportin tae them like mad, aw kind oh varieties an ages yi ken jist like they daes wi wine. Them aliens are sendin aw this stuff, gadgets an everythin they has, in exchange tae pay fur it, but thiy're runnin oot oh stuff tha wi wants oan earth. In the final paragraph wan oh the earth exporters is asked by the media if there's onythin left they hiv wi might want, nae, whit aboot their shite mebbe? The exporter says he's tasted it. An? An it tastes like shite.'

'Haha, nice, but ah've seen a Doctor Who whaur they wis

aliens jist like flies an they wis eatin shite,' ah says.

Mads pits her heid in her hans,

'Aw nae. Tha's anither wan oot the windae. Youse cannie wait wi an idea, yi has tae get it oot as soon as yi think oh it.'

'Wan mair, sil vous plate,' ah says.

'This wan's up yir street. This guy in a laboratory has goat somethin tae speed up the synapses. Sae yi kin think faster like.'

'Ay, ah could dae wi some oh tha,' ah says.

'Ah agrees, but onyways he takes this drug but whit he disnae realise is tha it haes a kind oh feedback effect like a snaebaw sae it wurks mair an mair, exponential like.'

'Ah'm wi yi.'

'He's thinkin faister an faister. He's claesin his een, like a blink, an he realises it's takin years oh his time fae them tae clase.'

'Hoo dis he ken hoo lang it's takin?'

'He's countin numbers tae see hoo fast the time is passin fae hisell.'

'Like wan pink elephant, twa pink elephants, countin tha photographers used tae use?'

'Aye, but milliuns oh pink elephants, billiuns. His brain is wurkin faister an faister an sae time is slowin doon till he realises tha fae him it will be a milliun years afore his een opens agin. He gaes mad, an then sane agin, he plays games, he remembers aw his life a thousan times, he's trapped.'

'Like somewan in a vegetable state, tha cannie move or see or nuthin?'

'Aye but even wurse cause tha wid be only fur eighty year max, he's there fae milliuns oh years.'

'Whit a nightmare.'

'An then fae the punchline wi gaes back oot intae the real wurld an his friens jist see him blinkin dot dot dot.'

'Tha's braw.'

'Ah knew yi wid like tha wan. Needs some wurk mind.'

Eternal Sunshine oh the Spotless Mind

Mads gets a text.

'Ma cousin Gail lives in Oban.'

'Aye?'

'She's invitet us fur a visit.'

'Aye?'

'Want tae gae, tae Oban fae thri days?'

'Aye.

'Is youse jist gonnae say aye tae whitever ah say?'

'Aye.' Ah leaves a wee pause an then carries oan. 'Why nut, hoo far is it tae Oban onyways?'

'Nae idea.'

'Hoo come yi'v niver visited her afore?'

'Wheniver she had some time she aways wanted tae come tae Glesgae.'

It's actually aboot thri hoors oan the train if youse iver wants tae gae, frae Queen Street naturalmenti.

Wi gets nice an comfy oan the train, Mads taks aff her boots an pits her feet up oan ma lap. Ah gie her taes a wee massage,

'Tha's nice,' she says.

Furst stap efter tweny minutes is Dumbarton Central.

'Did youse ken tha yon David Byrne frae Talkin Heids wis born here in Dumbarton?' ah asks.

'Ah aways thocht he wis American nae Scottish, he disnae hae an accent or nuthin?' Mads says.

'Aye, he moved tae America when he wis twa an the kiddies at school, when he went, made fun oh him sae he ditched the Scottish parley an went aw American.'

'Weird, if yi think aboot it, if he hadnae goan he wid hae bin singin *wi'r oan a road tae naewhere, cam oan inside*,' Mads sings.

'Aye, he wid ah sounded like yon Proclaimers an awe.' Wi baith laffs at the thocht.

'An mind if yon Proclaimers twins had goan tae America as wains they wid be singin *when you go will you send back a letter from America*,' Mads sings puttin oan an accent halfways atween yon Prince Charles an Tom Cruise. Ah'm laffin ma heid aff noo. Ah has a sudden thocht,

'Hang oan it widnae be *letter from America* if thiy're awready in America wid it? It wid be a *Letter from Auchtermuchty*.'

'Yi ken in some alternative universe tha probably happened wi David Byrne stayin an the Proclaimers emigratin,' Mads says.

'Aye an in tha alternative universe the ither me an youse there is probably oan a train tae the ither Oban wunnerin whit it wid hae bin like if David Byrne had gone tae America an the Proclaimers had stayed here,' ah says.

'Noo yi'r jist bein ridiculous.'

Wi leaves Dumbarton an Mads hauls oot a book she is finishun readin, ah scans the cover, it's cawed *Cryin Dance*.

'Whit's it aboot, yir book?' ah says.

'It's complicated, this dance piece frae lang ago, thri hunner years, is resurrected an wheniver onybudy sees it they cannie stap cryin.'

'Ah've seen plenty things tha made me cry an nae jist dance.'

'Nae like tha, this is guid cryin.'

'Oh aye guid cryin. Tha's differen. Noo yi'r talkin, guid cryin.'

'Listen, here wan oh the characters explains hoo he thinks it wurks, makin yi cry an aw.'

She turns back a few pages an reads,

'Ah think it reaches oot sae claesly tae whae sees it tha it reminds us aw oh our ultimate loneliness. In the same way tha the deepest relationships wi hae are aways bittersweet wi the sense oh loss – nae the fear wi will ultimately lose the ither – which oh course wi will – but tha even in the moment oh consummation wi hiv the realisation oh tha distance tha separates us aw. Like wan oh those strange Star Trek entities whaur the mair energy yi try tae destroy them wi the mair powerfu they becomes – sae the closer wi try tae get tae each other the mair intensely wi feel the archin void atween us.'

'Is it written in Scottish?' ah asks.

'Course nut, ah translated it fur yi.'

'Gracias. Ah likes it, maybe ah kin read yon book when youse finished wi it?'

She nods an carries oan readin an ah looks oot the windae.

Next stap is Helensburgh.

'This is the birthplace oh Alexander Logie Baird,' ah says, 'the inventor oh the television.'

'Is youse gonnae gie us a potted history oh ivery stap oan the line tae Oban?' Mads says.

'Tha's the lest wan, ah dinnae ken ony mair.' Ah gaes back tae ma windae.

An hoor later wi'r leavin Dalmally, the lest twa people in oor carriage hae goat aff, lest stap afore Oban. Ah has a crazy idea.

'Gie us a look,' ah says tae Mads.

'Wait till ah'm finished,' she says carryin oan readin.

'Nae the book, yi ken.'

She looks up shockt frae the book,

'Whit?'

'Yi heard us.'

'Yi big perv, yi show us.'

Ah unzips. Mads is laffin.

'Ok, ah showed yi mine, noo yi show us yours, it wis a bargain,' ah says.

Mads looks up an doon the coach,

'This is aw yi'r gettin,' she lifts her wee black dress an pulls doon her tights jist enuf.

'Hoo aboot a quickie?' ah asks, nae wi much hope an aw.

'Yi'll get us baith arrested, imagine the twa oh us up afore ma sister fur indecent exposure.'

'Aw gae oan.'

'Yi'r mental.' Still she hasnae said nae? 'Hoo lang is it tae Oban?'

'At least tweny minutes.'

She pulls aff her tights an stuffs them in her bag.

Wi wan mair look up an doon the carriage she hops ower ontae ma lap.

Wi gets tae Oban aboot lunch time. Her cousin is waitin oan the platform. Mads an her hugs but ah jist shake hans, ah'm nae tha keen oan aw tha kissin an huggin bla.

'Hoo wis the journey?' Gail asks.

'Oh, a bit borin,' Mads answers. 'Ah wis readin ma book maistly.'

'An ah wis starin oot the windae maistly,' ah adds.

Gail is lookin at us back an forth.

'Yi wis up tae somethin oan tha train, ah kin see it in yir faces? Hang oan. Yi didnae, did yi? Yi did?'

Mads gies a wee smile.

'Come oan youse,' Gail grabs Mads roun the neck an pulls her clase as wi stert walkin tae the exit, 'ah wants ivery lest detail.'

The Land Tha Time Forgot

Wi jumps in a wee bus, the twa oh them still laffin, tha gaes up near tae Gail's hoose an wi walks the rest. The hoose is up oan a hill wi a panorama like sea view. Yi kin see islands an sheep an aw, it's grand. Gail maks us some tea an asks,

'Ony priorities while yi'r up here?'

Ah'm hesitatin an Mads butts in,

'He wants tae visit Strontian.'

'Strontian? There's nuthin there,' Gail says.

'Aye but it's whaur strontium the element cams frae, he's keen oan thay elements, he learnt them aw wi their numbers, didnae yi?' Mads prods me in the stomach.

Ah nods embarrassed.

Gail says, 'whit's fifty wun then?'

'Antimony,' ah answers in a flash.

'Correct,' Gail says.

'Dis youse ken aw them elements an aw?' Mads asks Gail surprised like.

'Course nut, jist humerin the daft bugger. Well, wi kin gae tae Strontian if youse wants, dinnae haud yir breiths when wi gets there.'

'Whit else wid youse recommend?' ah says.

'Well yi hivtae see the Tower, an youse should dae the boat trip roun Mull an visit Iona, it's magic, ah'll come wi yi, ah hivnae seen it fur ages. Ah'm intae bowlin these days an aw,' Gail says.

'Whit, like wi thae skittles an strikes?' Mads asks.

'Naw, tha's ten pin bowlin, ah means proper bowlin oan the grass,' Gail says.

'Wi'll gie it a go,' ah says. 'In the meantime wi hae tae look efter these.' Ah hauds up a bottl oh Cava an a pack oh beers wi'v brocht frae Glesgae. Ah'd awready checked wi Mads tha Gail wisnae teetotal an she has tellt me Gail wis jist as alki as the rest oh us.

It's pretty sunny sae wi heids oot fae the river which is nae far frae the hoose. Ah puts the beers in the watter tae cool an wi sterts wi the Cava. It's a bit warm but wi'r Scottish efter aw, wi'r professionals, at least in tha wan department.

It's nice oot there but there's an awfy load oh wee insects buzzin roun.

'Are they midges?' Mads asks Gail.

'Nah, thiy're mayflies, frae the river,' Gail says.

'The mayflies, yi ken, they only live fae wan day?' ah says

dramatic like.

'An? Yir point is?' Mads says.

'Well yir human lives fae say tweny thousan days oan average sae tha's tweny thousan times as lang as the poor wee mayfly.'

'An?' Mads says wavin her hans in circles in a kind oh *get oan wi it* way she has.

'Sae if wi happened tae meet oor mayfly tae human equivalent lang liver, they wid live fae tweny thousan times say oor fifty years, tha is a milliun years. Thiy'd be lookin at us same as wi looks at the mayflies, thinkin poor wee humans, thiy've only goat fufty year tae live, whit a shame, whit kin yi dae in only fifty year?'

'An?' Mads says.

'Sae get this, if tha million year creature whitever it is met its mayfly tae human equivalent then tha wun wid live fae tweny billiun years, tha's longer than the lifetime oh the universe sae far.'

Ah'm expectin anither *an* frae Mads but it looks like ah've piked her interest at lest.

'Sae them, the auldest oh them wid jist be reachin middle age the noo an sayin pass me ma pipe an slippers?'

'Ma fuckin days are ower,' ah adds in.

'Well theys cannie complain, they must hae had a load oh fucks in tha fourteen billiun years,' Mads says.

'Though oan the other han they could be lang fucks yi ken they had, mebbe lastin millennia each, sae they wouldnae get sae meny in.'

'Tha wid be some orgasm yi wid hiv efter wan oh thay millennia long fucks,' Mads says.

'Or mebbe no, *ah cannie come, ah jist cannie come,*' ah says.

Mads thraes an empty can at me sayin,

'It taks twa tae tango, yi ken.'

Gail has bin sittin aw this time silent wi her mooth open like but noo says,

'Too much informatiun.'

'Ah'll gie youse informatiun,' Mads says an launches hirsell at her cousin. They gaes intae a kind oh wrestlin oan the grass rollin ower till ah nearly thinks they micht faw intae the watter. Ah kin imagine the twa oh them as five year olds.

Ah decides tae caw a halt an shouts oot,

'Lassies if youse wantin a beer yi better get here quick.'

Tha does the trick.

Ah pulls the ring pull oh wan oh the cans an it maks the usual nice fizzpop sound.

'Tha must be wan oh the maist famous an loved sounds oan the planit,' ah says takin a swig.

'Aye,' says Gail openin her can dramatic like, 'they should hae put tha sound oan tha wee golden record they sent up intae space.'

'Tha way the aliens wid ken they had cam tae the richt planet when they goat here,' agrees Mads.

Wi aw clinks cans in agreement.

Next mornin wi wants tae stert wi the bowlin. Afore wi leaves the hoose Gail says tae Mads,

'Hiv yi goat ony ither shoes?' Mads is wearin her Doc Martins naturalmenti.

'Nut, jist these.'

'They dinnae like boots oan their nice green grass. Wait, yi'r the same size as me jist aboot?' She fetches a pair oh green tennis shoes.

While Mads is daein them up Gail says tae me,

'Did Mads tell yi her famous shoelace story?'

Mads sighs which maks me even mair interested.

'Nut,' ah says, 'ah'm intrigued like.'

'She thinks she's only alive cause oh a pair oh shoelaces, tha's aw,' Gail laffs.

Ah looks at Mads quizzical like. She sighs agin an says,

'Ok, ah'll mak it short. Wan day ma mam is pregnant an Shona, ma sister remember, her shoelaces is undone. Thiy're in a bathroom, the twa oh them, an ma mam leans ower an ties the laces fae her but when she stans up, ma ma tha is, she hits her back oan the corner oh the washbasin an has a miscarriage. She gets pregnant agin but in the same time the ither baby widnae hae bin born yet.'

'Sae the new baby is youse an if yir mammie hadnae tied the shoelace the ither baby tha she lost wid be aroun instead oh youse?' ah says.

'Exactamenti,'

'Hoo cam yir sister wisnae tying her ain shoelaces onyways, she must hae bin, whit eight?'

'She aways wis a lazy bugger,' Mads says.

'Mind tho, when yi wis wee Mads, yi wis aye talkin tae her, the wan tha didnae mak it,' Gail says.

'Whit? Like an invisible frien?' ah asks.

'Aye, she cawed her Shula an aw,' Gail laffs.

'When did yi stap daein tha, talkin tae this Shula?' ah asks Mads.

'Whae says ah did stap?' Mads answers an gets back tae her tying.

Gail ruffles Mads' hair an says,

'Ah'm aye sayin tae Mads, tie yir shoelaces properly, lassie, whit if yi trips up oan wan an hits yir heid an dies then yir life wid hae come fu circle. An at yir funeral wi wid be sayin, dust tae dust, ashes tae ashes, shoelaces tae shoelaces.'

Mads has finished lacing up the tennis shoes, she hauds her feet towards Gail an says, 'want tae check?'

Gail nods, 'guid joab Mads, keep it up, ah'm proud oh youse.'

Wi heids doon tae the bowlin green. It's maistly auld biddies an a few kids.

Gail thraws a wee baw doon the ither end oh the grass.

'Yi hivtae get yir baws as claes tae the wee wan as possible. Yi kin hit ither people's baws awa too,' she explains.

Ah thraes furst. Naewhere near, in fact ah'm claeser tae the wee baw oh oor neighbours, which thiy're nae pleased aboot. Mads gies Gail a kind oh helpless shrug ah've seen afore, meny times afore.

Gail gaes next an gets her baw really claes tae the wee wan. She looks pleased wi hirsell an aw. Mads hurls her baw doon an it smacks Gail's wi a loud crack an sends it skeeterin intae a wee ditch at the end while Mads' baw staps deid richt next tae the wee wan.

'Hiv youse played afore?' Gail asks her.

'Beginner's luck,' Mads answers.

'She's guid wi baws,' ah adds.

Efter the gemme wi heids up tae the Folly. Wi finds a nice spot oan the grass whaur wi kin see the Isle oh Mull thru the wee arches oh the Tower. Wi aw agree it's braw. Gail has made a wee picnic wi aw pots oh hummus an salads.

'Gail's a vegetarian,' says Mads.

'Oh aye,' ah says.

'Aye, ah dinnae eat onythin wi een,' Gail says.

'Whit aboot tatties?' ah asks. 'Thiy've goat een sometimes.'

'Ah eats tatties,' Gail admits.

'Aye, well yi wid hav tae, efter aw chips is wan oh the thri essential foodstuffs,' ah says.

'Wis tha Morvern Caller book nae set in Oban?' Mads asks Gail fur a distraction.

'Aye, the stert oh it wis, the writer wis born near here, but he didnae caw it Oban in the book, he cawed it the Port. Hauf the people here wis glad as the book is a wee bit spicy, ken whit ah mean, but the ithers wi hotels an restaurants wanted the publicity fae the toon. Dis youse want tae gae oan the Morvern tour?'

'There's a tour?' Mads asks excited like.

'Course nut yi daft bugger, this is no Baker Street.'

Ah asks Gail whit she daes.

'Ah'm a teachir, wee wans, wi'r oan hauf term the noo. An yirsell?'

'Telesales fae ma sins.'

'An he's a philosphir,' Mads adds in.

'It's jist a wee hobby an aw,' ah says.

'Whit're yi wurkin oan?' Gail asks.

'He's findin oot the meaning oh life,' Mad says.

'Oh tha wee thing. Hiv they philosphirs nae be wurkin oan tha fae thousans oh years?' Gail asks.

'Aye but he's makin progress,' Mads says.

'Aye, but when aw them big brains hae bin chuggin awa at yon problem fur aw tha time, whit maks yi think youse kin cam up wi the answer?' Gail says tae me.

'Well, thae biggies, thiy've nae come up wi nuthin sae far,

nut a sosidge, ah cannie dae ony wurse than them, an ah'm no gettin paid fae daein it.'

'Fair enuf. Let us know when yi cracks it then,' Gail says.

'Yi'll be the furst,' ah tells her.

Next mornin early wi'r aff tae the wee jetty an wi gets oan a wee steamer. It reeks oh diesel an seaweed but no in a bad way mind. Gail tells us the ferry has only jist startet agin, lest year yi wid hivtae get the ferry tae Mull an then a bus an anither ferry, ah'm minded oh Mad's sister Shona livin oan the edge oh naewhere. Efter thiy've loaded some cars oan the boat wi sets aff roun Mull. Gail points oot a wee colourfu town oan the island,

'Tha's Tobermory whit inspired yon kid's telly thing *Whit's the Story Balamory*.'

Mads sterts singin the Balamory tune. Luckily there is a wee bar oan the boat sae ah gets us an aperitif tae distract her. A bit later they sterts playin some music oan the ship's speakers, da da dada da da.

'Ah recognises tha tune,' ah says.

'It's Mendelsohn, *Fingal's Cave*, see yon island wi the weird rocks?' says Gail.

'Aye. Tha's magic,' says Mads shadin her een frae the sun wi her hans tae see better.

'Tha's whit inspired him tae write tha music. Tha's Fingal's Cave itsell.'

Eventually wi pulls intae anither wee jetty an heads ontae Iona.

Mads has picked up a wee guide book tae the island oan the boat. She reads oot,

'The graves oh fufty kings oh Scotland is here but naebody kens whaur they is, lost in the mists oh time.'

'Ah cannie believe there wis fufty kings oh Scotland?' ah says. 'There disnae seem enuf time fae tha meny.'

'Ah guess they wis aways killin each ither aff sae they could squeeze mair in,' Mads says.

'Is Macbeth here?' ah says.

'Naturalmente. An Macbeth's stepson Lulach the Foolish,' Mads reads.

'Whit aboot yir Malcolm?' ah asks.

'Aye, Malcolm the Furst, he's here an aw. An the furst king oh Scotland an aw, guess his name?'

'Stuart?'

'Nae, Kenny. Well it's Kenneth but ah bets they aw cawed him Kenny,' Mads says.

She reads oan an suddenly sterts laffin uncontrollable like an then coughin. Ah bangs her oan her back.

'Whit's sae funny?' ah asks.

'This son oh Malcolm the Furst. Whitd'ye think his name wis?'

'Malcolm the Second?'

'Nae.'

'Kenny the Second?'

'Nae, he wis cawed Dub.' She carries oan laffin an me an Gail joins in.

'Ah thocht ah saw King Dub at the turntables doon the Starlight Club,' ah says.

'Poor Dub only lestet five year which is mair than Lulach, assasinatet efter five munths, by anither Malcolm,' Mads reads.

'There's an element cawed Dubnium, number hunner an

five, ah wonders if thiy're related?' ah says.

'Tellt yi he kens his elements,' Mads says tae Gail.

Wi wander aroun, it's awfy peacefu. Mads finds the grave oh yon John Smith. She reads in the wee guide,

'*The greatest labour politishun niver tae be prime minister.* He wis only fufty-five when he deid. Imagine if he wis still alive noo wi widnae hae had aw tha Tony Blair misery.'

'An nae Iraq war, he widnae hae put up wi tha.'

'Mebbe if he wis cawed somethin else he wid hae done better, nae a very distinctive name isit, John Smith?' pipes in Gail.

'Aye, imagine his ma an pa wi the wee baby sayin wi'r stuck wi Smith lets caw him John sae he stans oot,' laughs Mads.

'True, but oan the ither han if yi hiv such an ordinary name it's gonnae sound weird if yi put somethin unusual next tae it, imagine if they cawed him Siegfried Smith,' ah says.

'Or Mahatma Smith,' frae Gail.

'Yogi Smith,' Mads.

'Boris Smith,' me.

'Mephistopheles Smith.' Mads.

'Moon Unit Smith.' Gail.

Efter hauf an hoor wi runs oot oh names an steam.

Wi'v a hauf hoor wait fae the ferry sae wi sits unner a tree wi a wee bottl oh Oban whisky tha Gail has magicked up.

'Ah likes the sun,' ah says.

'Whit, yi'r aye moanin an wearin yir cap an complainin aboot gettin burnt,' Mads says.

'Ah dinnae mean ah like it streamin doon oan me an fryin yi up. But ah likes the way it maks everythin look sharper wi aw the shadows.'

Mads looks at Gail an shakes her heid.

'An is it no amazin hoo yi kin look ower there an ken tha tha buildin an they trees is there even tho yi couldnae touch them?' ah carries oan.

Mads feels ma brow fur a temperature an says tae Gail, 'nae mair whisky fae him.'

Gail looks at the empty bottl an says sad like, 'nae mair fur ony oh us.'

Oor lest fu day Gail borrows her frien's car. Wi jumps in the Metro an heids fae Strontian, it's nae tha far. Oan the ways ah notices the mile coonter in the car is at thirty nine thousan nine hunner an eighty eight an gets aw excited.

'Dinnae tell me he's an Aspe an aw?' Gail says tae Mads.

Mads nods but ah kin see she disnae tak her een aff oh the coonter till it reaches the forty thousand an wi kin baith relax. Apart from the coonter excitement the less said aboot the wee trip the better. Whit a disappointment, even the wee informatiun centre is clased. An aw the time the twa lassies lookin at each ither wi a wee smile an nae sayin *ah tellt yi sae* but thinkin it.

Next morn Gail taks us doon tae the station, her face looks a bit puffy an her een are a bit red.

'Youse ok?' ah says tae her.

'Oh aye,' she says, 'ah'm sufferin a bit frae hay fever, nae used tae aw this ootside carryin oan.'

Wi jumps oan the train an Mads an Gail hae some humungous hug.

'Get a room youse twa,' ah says. They laffs.

Gail bangs oan the windae as wi'r pullin awa an shouts oot,

'Hae a guid journey an remember tae wipe the seats efterwards,' she says. 'Efter aw ah might be oan tha train someday.'

13 Graves

Mads needs some different claes fae the summer sae wi agrees tae meet at the Oxfam shop in Byres Road, the wan apparently whaur she goat her sparkly red swimmin costume. It's Saturday an ah'm nae wurkin an Mads is only the morn at the music place.

When ah gets tae the Oxfam shop she's standin ootside in a dwam.

'Hola,' ah says an she near jumps oot oh her skin.

'Tha's weird,' she says, 'ah dinnae mind getting here frae ma wurk.'

'Ah wouldnae worry,' ah says. 'Sometimes ah'm walkin back frae the call centre an ah gae intae a kind oh autopilot mode. Ah gets hame an ah've nae recollection oh hoo ah goat back, an ah've bin crossin busy streets an everythin wioot ma brain bein engaged at aw, ah remembers nuthin. Ah thinks some subconscious bit oh yir heid taks ower, some ancient lizard bit looks efter yi, it's the same when yi'r drivin.'

'Tha's nae very reasurin,' Mads says. 'Hoo meny lizards dis yi ken wi drivin licences?'

'Whitever, yi'r here noo, let's gae in.' Ah hauds the door open fae her.

Mads heids fae the back whaur aw the wuman's stuff is an ah sterts lookin thru the books at the frunt. Ah finds wan cawed *Cemeteries oh the Wurld in Pictyers.* It's only twa poonds sae ah snaps it up. Mads cams oot oh the wee changin room wearin a summer dress wi loads oh wee cherries oan it.

'Whit daes youse think?' she says.

'Braw, turn aroun.'

She daes a wee twirl.

'Nae doot, it's magic. An it's goat buttons an aw.'

Mads is crazy aboot buttons.

She goes back tae the hunt an ah peruse ma new book.

Efter she's done wi gaes tae a cafe. Wi sits ootside an Mads wriggles her taes in her new sandals in the sun, she still looks a bit oot oh it but ah dinnae says onythin. Wi'v ordered some soup an the lassie brings it oot tae us.

'Whit's tha weird taste?' ah asks Mads efter ma furst moothfu.

'It's coriander,' Mads says. 'Ah had a Spanish frien whae goat some soup jist like this an she thinks thiy've left some washing up liquid in the bowl sae she sends it back an they gie her anither bowl apologetic like. Same agin. They tastes it thirsells an it's the coriander, tae her it tastes like soap. She cannie stan it noo, coriander, thay Americans caw it cilantro, thiy've even goat clubs aginst it.'

'Tastes ok tae me. An whit daes soap taste like tae her, yir Spanish frien?'

'Soap aff course yi eejit.'

Wi finishes the soup an gets twa coffees an a stert perusing ma new purchase agin.

'Whit's the book?' Mads asks bored wi her new sandals.

'*Cemeteries oh the Wurld*, in pictyers an aw.' Ah haud it up sae she kin see the cover.

'Funerals, cemeteries, yi'r aways thinkin aboot death,' she says.

'It's jist a wee hobby oh mine. Anyways this book is fu oh interestin stuff.'

'Gies ah taster.'

'Wan oh the big cemeteries in Paris is cawed Pere Lachaise, an tha's whaur Jim Morrison frae the Doors is buried.'

'He's wan oh they tweny sevin club yi wis bangin oan aboot afore, is he no?'

'Aye, he is, sae yi dis listen tae me sometimes, ah wisnae sure.' Ah read oan, 'there's aways a wee camp oh hippies wi a fire an aw beside his grave.'

'Tha's nice, keepin him company like, must get lonely bein deid.'

She sterts singin *Riders oan the Storm* sae ah reads a bit mair tae shut her up.

'Aw the grave stanes aroun his wan hae graffiti oan them sayin this ways tae Jimi wi arrows pointin.'

'Did he nae die in the bath? Ah widnae mind tha, ah likes a nice bath, jist driftin awa sayin *goodbye cruel wurld*.'

'Well it's wan step up frae diein oan the toilet like yon Elvis. Tha's embarassin.'

Ah gaes back tae the book,

'An see here's a picture oh the wall in Pere Lachaise Cemetery whaur they executed the Communards up aginst.'

Ah shows her the picture oh the wall.

'Whit, thiy've executed yon Communards? Tha's a bit ower the tap, ah kens tha they hae murdert tha sang *Dinnae Leave Me This Ways*, but shootin them, tha's a wee bit harsh fae tha, di yi no think?'

Ah reads mair frae the book,

'Wan oh the Communards whae wis only fourteen asked the guard if he kin tak his watch back tae his mammie in the city. The guard feels sarry fae him an lets him gae thinkin he willnae come back but the wee laddie daes return an they hae tae shoot him wi the ithers.'

'Aye, tha wan wid be Jimmi Somerville, he's aboot fourteen,' Mads says.

'An here, look, in Milan cemetery they hae a life-size statue oh the Lest Supper, yi ken, the paintin by Leonardo da Vinci, in stane.'

'Braw.'

'Oh an yi will like this wan, in Havana the grave oh Capablanca has humungous chess pieces oan it.'

'Man, he's wan oh ma favourites, Jose Raul Capablanca, ah read his book Chess Fundamentals cover tae cover, tha's why ah could beat yi sae easy mind,' says Mads.

'Yi didnae beat me, it wis a draw, wan an a hauf tae wan an a hauf.'

'It wis a moral victory efter aw yir crawin ower the furst twa games an aw. Ah wis jist getting ma een in, if it wis five games it wid hae bin thri tae twa. Ony pictures oh Glesgae cemetery in yir book? Ah likes gaein there, ah wance saw a deer up oan the hill.'

Ah finds the Glesgae page,

'Aye, here it is, thri pages oan Glesgae.'

She nabs the book an efter chekin oot Glesgae sterts leafin thru an readin me bits oot, bits oh ma ain book wid yi believe it, whit a nerve she has.

'In Buenos Aires thiy've buriet tha Eva Peron doon unner steel plates tae stap onybudy wantin tae steal her body, an see here's an appendix oh people whit died by accident.'

'Life, whit a lottery. Yi'r here wan minute an the nex whae kens. An alsae hoo yi gets here, ah'm mindin yir story aboot the shoelace. Pure chance. Hoo meny oh us is here jist cause oh an accident an aw?' ah says.

'Aye, an hoo meny is nae here the same ways by accident? Mebbe they hae ghosts an aw, like ma sister tha didnae mak it cause oh the laces, mebbe thiy're aw lurkin aroun an lookin at masell an the ithers tha replaced them an sayin *it should hae bin us, wi wid oh made a better joab oh it than thae chumps.*'

'They widnae be ghosts though, thiy're the opposite oh ghosts, ghosts hae bin an gone, they hivnae even bin yet, thiy're the antimatter oh ghosts,' ah says. 'Onyways ah thocht Gail says yi wis friens wi tha shoelace gurl tha didnae mak it, Shula yi cawed her.'

'Oh aye, Shula,' Mads says wistful like.

'Whit did she look like, yon Shula?'

'A bit like me only mair sad.'

Ah tries tae imagine.

'Mebbe when wi'r rich wi should dae a wurld tour oh aw the cemeteries?' ah says.

'Tha wid be grand.'

She carries oan readin, tha's the lest ah'll see oh ma book the day ah thinks tae masell.

Furbidden Planet

Ah wakes up in the middle oh the night, Mads is sleepin peaceful next tae me. Ah used tae dae tha a lot, wake up an nae be able tae drap aff agin fae hoors. Then ah cams up wi this braw idea fae when yi cannie sleep an yi'r thinkin man this is awfy. Well, al yi needs tae dae is imagine yirsell in this situatiun, say yi hav tae get up fur a plane an it's dark ootside an it's fower oh clock in the mornin an youse are wishin yi didnae hae tae move an yi'd gie onythin fae ten minutes mair in yir warm bed an yi cannie hae it. Well back tae youse lyin in bed the noo an cannie sleep an suddenly yi'v goat yir ten minutes extra an a lot mair an aw, hoors an hoors if yi wants. Gets the pictyer? Dinnae fight it, jist enjoy bein awake an cosy an aw an afore yi kens it yi'r back asleep onyways or if no yi'r still happy lyin there in yir cumfy bed, it's a win win situatiun. It kin work in ony place, no jist in bed, mind. But this night it's nae wurkin. Ah cannie put ma finger oan it. Thir's a wee burd ootside the windae yatterin oan an oan, should yi no be asleep an aw? ah'm thinkin, it's dark oot there, wait fae the dawn chorus an aw yir wee friens, but he keeps gaein, mebbe he has Tourette's, dis burds get Tourette's? Ah decides tae dae ma elements but in reverse order startin wi Oganesson an then Tennesine, Livermorium, Moscovium aw the ways doon tae Lithium, Helium an Hydrogen. Jist unner twa minutes, nae bad, ah kin dae them the normal order in a minute an a hauf easy-peasy but reverse ah aways gets stuck at thay Lanthanides. Ah learnt them elements wi trackin a journey back fae ma work an yi sticks wan element oan tae each notable thing like a bus stop an then yi maks a story fae them, ken. Ah'm thinkin oh daein a new list, mebbe yon fufty kings oh Scotland, that'll impress Mads awright me cummin oot wi *oh James the Thurd, wis he no king in fowerteen forty* or whitever he wis? The burd has stapt yatterin. But somethins botherin me still. Tha poyem Mads read oot tae me frae her book, tha wurld unstabille, keeps cummin back tae me, ah feel ah'm balancin high up oan tap oh ah pile oh rickety objects an wavin ma airms roun tae nae faw. Ah remembers some yoga teachir, ah only went the wan time, he says tae stan oan wan leg yi hiv tae fix yir een oan some point, it's a balancin point in the distance. Ah'm fixin an fixin an fixin but ah'm still waverin.

Altered States

The day wi'r heidin tae Kelvingrove Art Gallery tae see an exhibishun. Some wuman has bin gaein aroun findin aw the people in yon auld Dianne Arbus photys an gettin them tae pose the same but noo forty years later. Me an Mads gets oan the subway, it's awfy hot doon there. Mads opens her jaikit an ah sees she is wearin her tee shirt tha says oan the frunt *Viddy well, little brother, viddy well.*

Ah points tae the t-shirt an says,

'Tha's appropriate.'

'Hoo cams?' Mads says.

'Cause wi'r oan the Clockwurk Orange,' ah says wavin ma airms aroun.

'Oh aye, hivnae heard it cawed tha fur a lang time.'

'Why is the subway cawed Clockwurk Orange?' ah asks, it's a trick question an ah'm waitin fae her tae faw intae the trap, here she cams.

'Cause the trains wis paintet orange?' she answers as if ah'm daft.

'UhUh,' ah says like oan the telly.

'Whit UhUh?' she looks a wee bit annoyed.

'The trains wisnae paintet orange they wis officially paintet Strathclyde Red.'

'Looked orange tae me.'

'Aye, tae me an aw an tae iverybudy else, but the Catholics didnae like it cause orange is the Prody colour sae they, the council tha is, renamed the colour Strathclyde Red.'

'Thanks fae sharin. Much appreciatet.'

Wi jiggle oan in silence fur a whiles. The rattlin oh the wheels sterts up a wee tune in ma heid. Ah pretend tae ignore it fur a whiles but it's nae use.

'Ah've goat this fuckin tune goin roun in ma heid,' ah says tae Mads.

'Well dinnae tell me whit it is, an above aw dinnae sing it, ah don wan tae get infectet.' She sticks her fingers in her ears an sterts hummin but it's nae use, ah'm merciless.

'It's tha Red Stripes sang tha gaes, da da dah, da da dah, da da da da, da da dah. Da da da da dadeda da da dah,' ah tells her perverse like. Ah'm sufferin sae it's only fair tae mak as meny people in the wurld suffer as possible, share the pain like.

'Ah tellt yi nae tae tell me, noo ah've goat it an aw. Whit's it cawed anyways?' Mads says.

'*Noo wi'r gaein tae be friens*. It's a vicious wee tune, tha wan, awfy hard tae shift hammerin awa at thase thri notes like tha. The only way tae get wan oh those buggers oot oh yir heid is tae think oh an even mair annoyin tune tae tak its place.'

'But then youse are stuck wi tha even mair annoyin wan?'

'Aye but jist keep movin oan an oan, jumpin frae wan tae the next, dinnae look ahint yi, keep movin.'

Mads is nae impressed.

'Tha way yi will end up wi the maist annoyin tune in the whole world an be stuck wi it fae the rest oh eternity.'

Wi sits fur a while wi the tune gaein roun in baith oor heids.

'Whit if somebudi maks up a new tune tha yi jist cannie iver get oot oh yir heid an it infects the whole wurld eventually?' ah wonders.

'Aye an naebody kin dae onythin cause they cannie concentrate, planes are fawin oot the sky, buildins is burnin doon.'

'An they puts the president doon intae his bunker sae he willnae get it.'

'An then…'

Luckily wi gets tae oor station jist at tha moment.

Wi emerges frae the subway near tae Boots an it's awfy busy. Wi pushes oor way alang Frazer Street aginst the flow oh rushin people. Mads is clearly the mair annoyed oh the twa oh us,

'Hoo cam iverybudy's aways goin the opposite way tae me an bumpin an bumpin?'

Jist oan cue a wee boy runnin collides fu body wi Mads. She lifts the kiddie an placin him ahint hirsell, pushes him oan his way, she is stronger than she looks.

'Ach, well it's only an illusion,' ah replies, 'if yi imagines ten people gaein the same ways as youse at yir speed, youse will only see the wan in frunt, whereas if there are ten people gaein in the opposite ways tae youse, you'll see aw ten oh them sae yi think there's mair but it's jist the same number.'

Mads is lookin up at the street names wi are passin.

Ah carries oan,

'Plus the bumpin question, even if youse collides wi yir own-direction-person the bump velocity is yours minus theirs, whereas wi the opposition, *the heid-oan-bump*, as it is known, is yir velocity plus theirs.'

Ah think she has lost interest in the topic oh conversatiun but she suddenly cams oot wi,

'Yi ken whit's the wurst?'

'Whit?' ah says.

'A wuman wi a pushchair, they becomes maniacs wi nae regard fur onywan else. Ah'm guessin they is aw thinkin *ah carried this lump fae nine months, hivnae had a drink fae twelve cause ah'm still breist-feedin sae youse owes me, wurld! At the least get oot oh ma fuckin way.* The ither day ah saw thri oh them lined up thigither sweepin doon the pavement scythin aw the ither pedestrians intae the road like wan oh them trains wi snaeplows oan the frunt. It wis carnage, there wis blud everywheres an severed limbs. Whit's alsae bad is wee kids, yi ken fower year aulds, wi nae sense oh personal space, jist wanderin roun like them heidless chickens an their mammies sayin watch whaur youse gaein Freddie an they tak nae a blind bit oh notice. Yi'd be better aff wi wan oh thay wee remote vacuum cleaners, Roombas? at least they kens whaur thiy're gaein.'

'Are youse finished?' ah says.

'Aye, ah'm done.'

'Sometimes it's like bein oot wi Hamlet when youse gaes aff oan wan oh yir endless monologues.'

'*Tomorri an tomorri an tomorri, creeps oan this petty pace.*'

'Tha's Macbeth, no Hamlet.'

'Jist testin youse.'

At lest wi reaches the Gallery. Ah'm desperate fur a pee,

ah've bin wantin since the subway. Mads spots the toilets fae me an ah maks a dash fae them.

When a cams back ah says,

'It's nae fair tha yi has aw tha stress when yi wants a pee an then when yi gaes it's nae big deal, yi dinnae get ony payback fur aw the sufferin. Nuthin. Ah means when yi'r starvin fur yir dinner an yi gets it at least yi really enjoys it mair cause oh the hunger an the same if yi'r real thirsty an yi gets a pint. Ken whit ah means?'

Mads is nae sympatico,

'Well at least yi kin be glad yi'v nae pissed yirsell in the middle oh Frazer Street. Come oan the exhibishun is up thay stairs.'

Wi gaes up past the Salvador Dali Christ picture, Scotland's favourite paintin apparently, nae mine mind.

The new photys are displayed next tae the Arbus originals the same size an aw wi wee notes aboot the baith. It's quite dark ah'm guessin tae protect the photys sae ah tells Mads tae be carefu she disnae get mugged.

Ma favourite photy is the wan wi the wee boy an his toy han grenade, noo in the new photy he's aboot forty. Mads is disappointed he's no wearin shorts like in the original.

'Also they could at least hae gien him the wee grenade like afore,' she says.

In the picture note ah reads oot it says when he wis wee Arbus made him mak tha angry face, he didnae want tae dae it.

'Art, youse jist cannie trust it,' ah says.

Mads agrees,

'Photys, music, books, it's aw a trick, a big con.'

'Aye, but it's a nice trick, passes the time an aw.'

'Aye but aw tha passed time, whaur's it gettin yi?'

'Tae the future, whaur naewan has gone afore?' ah says.

'An whase there? Jist mair oh the same.'

Ah think the Arbus show has brocht oot the existentialist in Mads.

'Whit's the alternative? Jist sit aroun bored?' ah says.

'It wid be cheaper fur a stert.'

'Wi goat in here fae free,' ah reminds her.

'Aye but wi'r payin fur it wi oor taxes.'

'Youse dinnae pay ony taxes.'

'Tha's why ah dinnae, sae ah'm nae supportin a bunch oh arty hangers oan.'

Wi carry oan roun the rest oh the photys.

Madses favourite is the wan wi the wee twins dressed in black.

'Look it's Sosidge an Mash. If they iver wants tae gae tae a fancy dress ah'll get them dresses like in the photy. Ah bet yon Kubrick saw this an stole it fur yon Shining filum.'

'Aye he wis aye stealin stuff, tha Kubrick, like they naked women table sculptures in Clockwurk Orange, he didnae pay fae them yi ken, ah've seen the artist tha made them oan the telly complainin he didnae get a penny.'

The day seems tae hae come roun in a full circle strangely enuf, jist like the subway trains dae.

Yon Day the Erth Stood Still

'Sit doon,' Mads says.

Ah sits.

'Ah'm dyin.'

'Whit? Dyin fur a drink? Me an aw.'

'Well ah wouldnae mind a drink tae be honest, but ah am acshually dyin.'

'Aye, wi'r aw dyin, it's part oh life, wi'r aw born dyin.'

She sighs.

'Nae in fifty years, yi daft bugger, the noo.' Mads sits doon next tae me.

'Whit?' Ah kin suddenly see tha she's serious, acshually mair than serious.

'Ah've goat multiple metastatic tumours in ma heid kind oh dyin.'

Ah cannie speak fur a wee minute.

'Like yon brain cancer?' ah says eventual.

'Aye, non operational, terminal.'

'Ah dinnae unerstan, hoo dis youse ken? Hoo lang hae youse kent?'

'Ah've had aw the scans, seen aw the speshialists. Nae doot aboot it, finito.'

'Why did yi nae tell us? Ah couldie cam wi youse fae the tests an aw, asked some questions, haud yir han.'

She shrugs.

'When did aw this stert?' ah says.

'Mind when ah wis bein sick aw the time an sair heids.'

'Tha wis months ago.' Ah'm strugglin tae remember aw the wee clues, ah'm kickin masell.

'Aye, it taks time seein aw they people. Waitin fae tests an results.'

'Ah should hiv bin there wi yi.'

'Nae point, wouldnae hae made ony difference.'

'Sae when dis youse stert treatment, are yi gonnae hiv an operashun?'

'Nut, cannie operate cause oh whaur it is an the spread. Chemo or radio might gie me an extra few munths but it's nae wurth it wi the side effects.'

Ah feels like ah'm in a box or somethin an cannie breathe.

'Hoo lang hiv youse goat?' It souns like a ridiculous question tha naewan in real life asks, mair like in a filum.

'Six weeks tae twelve max but ah'm no hangin aroun onyways.'

'Whit daes youse mean no hangin aroun?' Ah'm getting real panicky noo. Wake up ah thinks tae masell.

She pits her airm aroun me.

'Ave booked masell intae wan oh they clinics in Switzerland.'

'Yi means?'

'Aye.'

'Wioot even askin me?'

'It's nae up tae youse. Look.' She pulls oot a couple oh papers. Thiy're boardin passes fur Easyjet fae me an her. Tae Zurich. Ah looks at the dates.

'This is in jist twa weeks,' ah says. Ah'm kind oh shakin an feelin cauld, ah even think ah might thrae up.

'Aye, as ah says nae point in hangin aroun.'

Ah've bin searchin oan ma phone aw this time,

'This metastatic means yi'v goat cancer somewheres else?'

'Aye, but they dinnae ken whaur, it's no relevant onymair sae thiy've stapt lookin.'

'An it says yi kin survive fufteen munths wi treatment?'

Mads taks the phone aff me an puts it oan the table.

'Gie's some respect, ah've looked intae everythin, it's massive advanced, wan doctor says he wis amazed ah'm still standin. Ah'm nae waitin till ah cannie dae onythin, till yi'r haein tae carrie me, this is nae a discussion. Ah needs yi tae help me noo, tae be oan ma side. Jist says yi unerstan.'

Wi are silent fae mebbe ten minutes. Then ah says,

'Aw this time, weeks, munths, yi'v bin actin happy, havin a laff, messin aroun, kennin aw this stuff, yi should be gettin an Oscar fur it.'

Mad shrugs.

'Yi tellt Gail in Oban, didnae yi?' ah asks.

'Aye, it wis a mistake, ah didnae mean tae but she guessed. She's a bit oh a mindreader yon Gail, mind when wi goat aff the train?'

'Sae why did yi no tell us?'

'If ah tellt youse it wid mak it mair real, ah jist wanted tae deny it wis happenin an whit wid wi hae endet up daein, wringin oor hans aw the time an feelin miserable fae the lest months, paralysed.'

'Sae why nut jist tell me the day afore? Wi'r aff tae Switzerlan the morn, jist wan wee snag, ah'm nae cummin back.' Ah'm feelin almost angry wi her an ah see she is near greetin. Ah pull her up an wi hugs. She feels like a wee bird in ma airms, jist banes, jist bare banes. She's definite lost weight, hoo could ah hae bin sae blind, stupit an blind, stupit an blind.

Terminator

Twa weeks tae gae, whit daes youse dae? Fur a stert ah tak twa weeks holiday frae the call centre, some holiday. Ah'm hopin at least fae some guid weather. Imagine yir lest twa weeks oan the planit an it's pissin doon ivery day. Look oan the bricht side, she kin drink cause she's no oan ony medicine except hauf a bottl oh asprin ivery day an wi dinnae need tae worry aboot condoms ony mair.

Furst day wi taks a picnic up tae the cemetery. Seems appropriate an it's a nice place an wi aways wanted tae gae, specially since wi had yon book. Wi sit doon high up, yi kin see hauf the city, it looks braw like a paintin wi clouds an aw. Ah'm seein thru her een an it's almost like the beauty oh the scene is tauntin yi, makin fun oh yi.

'Whit dae youse want, efter ah means?' ah asks her. 'Yi ken, cremation or whit?'

'Ah've left ma body tae science. It's aw taken care off at yon clinic. Yi dinnae need tae dae a thing.'

'Yi'r well prepared, ah'll gie yi tha,' ah says. Tae be honest ah'm kindae relieved, ah've bin thinkin back tae ma bruther in law an aw tha funeral business an ah couldnae face it.

'Ah didnae want tae stress youse,' Mads says. 'By the way ah hivnae made a will or onythin.'

'Twa black bin bags is no a big legacy,'

'Yi kin hae ma library an aw.'

'Gracias.'

Day twa wi baith gets blootered early like, very early, ah dinnae remember much aboot it.

Thurd day wi gaes tae Primark or Primarché as wi caws it here in Glesgae cause it's sae posh compairt tae aw the ither shops up here. Mads needs some jammies fae the trip. Wi'v baith goat throbbin hangowers, surprise, surprise. Ah borrows some oh Mads' asprins.

She shows me some Mister Men jams in the shop.

'Whit aboot these?'

Ah'm bitin ma tongue sae much nae tae cry ivery day it's near bleedin. Nae exception the day.

'Aye, they'll dae nicely,' ah nods.

'Which oh the Mister Men's yir favourite,' she asks me.

Ah looks at the wee men oan the jammies, 'ah'm fond oh Mr Tickle. Youse?'

'It wid hae tae be Mr Bump,' she laffs.

'Aye, ah kin see why,' ah says lookin at his wee bandaged heid.

Day fower wi gaes tae TSB an Mads withdraws aw her money, thri hunner poonds near enuf. Then wi gaes tae the exchange tae get some Swiss francs.

The wifie at the exchange says,

'Gaein oan a wee holiday, hen?'

Mads nods,

'Youse could say tha.'

'Hae a lovely time.'

'Ah'll dae ma best.'

Ootside Mads hans me her money an the francs.

'Look efter this fae me.'

Ah nods. Ah'm noddin a lot these days, afraid tae speak like.

Wi passes wan oh they passport photy machines an gaes in. Thae photys frae thae machines aways looks the same, thae aways taks yi by surprise an yi cannie help but mak a stupit face, specially when there's twa oh youse oan tha tiny wee seat.

'Sae yi kin remember whit ah looks like,' Mads says foldin them up an poppin them in ma tap pocket.

Day five nuthin. Mads is maistly lyin in bed. Ah keeps forgettin hoo ill she is, mainly because she's hidin it sae weel, ah dinnae ken whaur she's gettin the energy tae keep gaein these lest days but today her battery is oot.

The sixth day she's back oan her feet, honest if yi didnae ken yi wid swear she wis fit as a fiddle an in her prime, an wi gaes tae the planetarium. Youse sits in these reclinin seats an leans back an they flies yi thru the universe. It looks nice up there. Oan the way oot Mads tho is moanin aboot the commentator an it's a fact he did hae an annoyin squeaky voice.

'An aw tha stuff whaur they shows yi a pictyer oh the universe an they says here youse are in a wee insignifikint galaxy. As if it wid be better tae be in a big fuckin galaxy? Like if the aliens cam an they says oor galaxy's bigger than yours puny earthlins. An then they planetarium guys says an whaur are youse in yir galaxy? Here richt oot oan the rim, as if it wid be better tae be in the fuckin centre. Why? Tae be nearer tae the shops or whit?'

Ah'm jist happy tae let her ramble oan.

Day sevin blootered agin. Carry oan like this an ma liver will be sae bad ah'll be squeezin in the bed nex tae her in Switzerland. In fact ah suggest tha maybe wi could mak it a dubble tae save me the pain oh missin her, mebbe gettin a wee discount fae twa.

'Yi daft bugger,' she tells me. 'Fur a stert they widnae let yi, yi hiv tae prove tae them yi are terminal an aw, whit a palaver. Anyway youse goat yir whole life tae live.'

'It wid be like Romeo an Juliet or Tristan an Isoldi,' ah persists.

'Mair like Laurel an Hardy,' she says pourin us anither drink.

Day eight Mads gaes tae see her sister. She disnae want me tae come. Ah'm glad actually cause it gies me a day when a kin jist greet as much as ah wants wioot her seein. Ah keeps thinkin whit if ah had jist let her swim awa tha furst day in the pool or if ah hadnae gone intae yon Komedy Klub but jist gone awa hame? In atween greetin an thinkin ah pooter aroun an mak her a nice dinner wi sprouts, tha's her favourite vegetable but when she cams hame she jist gaes straight tae bed. Ah sees tha ah'm nae the only wan whae's bin greetin the day.

Day nine chess league. Ah wunder if ah should jist let her win but ah remember ma mither wid aways let me win at onythin, Monopoly or Cluedo an it wisnae ony fun. Mads is probably thinkin the same, wi end up drawin ivery game.

Day ten wi gaes tae the GFT tae see a filum. It's Classic Monday an *The Thurd Man* is oan. Wan oh Mads' favourites. At the end wi'r baith greetin as the Austrian lassie walks past Holly wi the leaves blawin doon an tha sad music an ah'm thinkin oh Mads walkin past me an oot oh ma life an ah cannie even smoke a cigarette like Holly.

Day elevin Mads wants tae sort oot aw her stuff like passwords fae her internet an computer an copies oh her stories an photys an aw. Efter the event, as wi is cawin it, she wants me tae claes doon everythin she haes, Facebook, Twitter, Instagram. She disnae want people postin sad messages an aw tha. She wid like it tae be as if she wis niver here at aw.

'Ah wants youse tae dae me a favour,' she says.

'Aye, onythin.'

'Ah wants youse efterwards, efter it's aw ower, tae gae doon tae Coatbridge tae tell Sasha an Masha aboot me an whit happened, ah dinnae want it tae come frae their mither.'

'Thiy're gonnae be devastatet, an efter their faither an aw. Thiy've really taken tae yi.'

'Aye, me tae them an aw, but whit kin yi dae? Tha's the price oh getting fond oh somewan, yi cannie live yir life in a bubble jist tae avoid sadness.'

'Yi'r tellin me,' ah says.

Day twelve (ah'm realisin ah should hae done aw this countin the days in reverse order, like when thiy's launchin a rocket, ma wee Mads is certainly a rocket aboot tae be launched) Mads packs her wee shoulder bag, there's nearly nuthin in it, her jammies, toothbrush, passport an her poetry book. Ah cannie look ah jist cannie.

Apocalypse Noo

Day zero wi gets up early.

'Dinnae want tae be late,' Mads says. 'Efter aw am soon gonnae be late ivery day.'

'Should be oan the radio,' ah says automatic like. As ah'm sayin it ah'm rememberin ah said it afore in the Komedy Klub whit seems like a milliun years afore.

Mads is wearin the wee dress wi the cherries oan it tha she goat frae the Oxfam shop. She hasnae wore it wance since she goat it.

'Havtae get ma monies wurth oot oh it, lest chance the day,' she says daein a wee spin. Ah've niver seen her sae fu oh life as the day, is tha nae ironic?

Ah hadnae slept a wink an noo there's jist a kind oh noise fuzzin aroun in ma heid.

At the airport ah'm hopin the plane is cancelt, but nae. Oan time fae the furst time iver. Wi'r oan the Easyjet tae Zurich afore wi kens it an the flight is only twa hours.

Oan the plane Mads orders us twa sandwidges frae the girl. Ah feels ah should be lookin efter her but it's mair like she's lookin efter me. Mads woolfs doon hers. Ah'm thinkin ah wid be thinkin *this is ma lest sandwidge iver* if ah wis her. Ah cannie eat mine, she says,

'Youse nae wantin tha?'

'Nut, here yi go.' Ah hans it ower.

She eats tha wun an aw. Sae the lest wan wisnae her lest sandwidge efter aw, sees yi cannie rely oan onythin.

At the airport wi jumps in a taxi. Ah gie the driver the wee slip wi the address oan it. He gaes a wee bit quiet an thochtfu.

'Yi'v bin there afore?' ah asks him.

He looks at me quizzical like. Ah realize ma accent isnae helpin sae ah tries agin in English.

'Yooove been there befooore?'

Mads sterts laffin,

'Yi soonds like thae Scottish guys in the automatic lift tryin tae say elevin yi ken oan tha YouTube video.'

Ah'm glad tae hear her laffin tho an the driver seems tae hiv unerstood ma perfect English.

He gaes,

'It's quite a popular destination.'

Efter tha he disnae say a wurd till wi gets there, well it's a bit oh a conversation stopper, tha address, ah expects, an yi cannie use yir normal smalltalk like *is youse stayin lang?*

It's only aboot tweny five minutes drive sae when wi gets oot oh the taxi next tae the clinic wi'r ways too early.

'Wid youse be wantin a cup oh tea?' ah says.

'Aye tha wid be rare.'

Wi baith laffs.

'Thay wis happy days,' ah says.

'Aye, seems jist like yisterday.'

Wi finds some wee cafe place wi seats ootside. Wi baith gets dubble brandies instead oh teas. At the next table a wee lassie aboot the age oh ma nieces is tuckin intae a massif ice cream wi chocolate sauce an whippt cream oan top. Mads stares at her.

'Fancy wan oh those?' ah asks.

'Nah, ah'm watchin ma figure.' She pats her tummy.

Mads keeps lookin at the wee lassie, ah dinnae ken if she's wishing she could hae had a wee gurl or mebbe she's thinkin oh hirsell at tha age or the twins, whitever, ah dinnae ask.

Efter a wee pause ah says,

'Yi'v niver tellt Ash an Wullie hiv yi?'

'Nae, ah couldnae face it. Will youse gae roun an tell them, say ah'm sorry ah didnae...'

'Dinnae fret, ah'll do the rouns nae wurries. Dis youse want me tae gae roun tae Kenny an all?'

She smiles,

'Nae, dinnae bother, ah'll deal wi Kenny masell, ah'll turn up an haunt him, thrae aw his stuff aroun the room, whit's tha cawed?'

'A poltergist,'

'Ay, ah'll poltergist him aw richt.' Wi baith has a wee laff.

Anither pause, this wan really lang. A noisy kind oh musical clock sterts tinklin awa.

Mads looks at me wi her big een, did ah menshun them, her een, a bit like yon Audrey Hepburn yi ken. She says,

'It's bin nice knowin youse.'

'Youse an aw. Special.'

'Wi should gae.'

'Aye.'

Wi dinnae move fae mebbe five minutes an then wi gets up an wi heids fae the clinic.

At the reception place Mads gies her name an signs in. They gie her a wee glass oh somethin tae drink.

'Dinnae panic,' she says tae me, 'it's jist somethin tae stap yi pukin.'

Thir's a lot oh checkin wi letters an passports an aw, ah guess yi dinnae want tae check somewan in by mistake at this place. Then me. The wuman asks whit relation ah am tae Mads.

'Yi kin say it,' Mads tells me wi a wee smile.

'Ah'm her boyfrien.' Ma tongue is nearly in half wi biting. They taks us up tae the third flair, ma body is movin in autopilot like a wee robot, it's as if ah've niver climbed some stairs in ma life afore. Wi enters a wee room wi jist a bed an a couple oh chairs. Mads gaes intae the toilet an cams oot in her new Mister Men jammies. She looks magic. She gies me her bag wi her claes an passport an aw in it, kisses me, an slips intae the bed.

'Showtime,' she says.

The nurse cams up tae her wi a wee tray wi jist wan glass oan it.

She says tae Mads,

'You know that this will kill you?'

Mads nods.

'And you wish to proceed?'

Mads nods again. She picks up the wee glass an says tae me,

'Here's lookin at youse kid.' She doons it in wan an smacks her lips.

'My tha wis braw, goat ony mair?'

She leans back oan the pillow. Ah sits beside the bed an taks her han. She clases her een an wi waits. Efter a lang while the nurse taks her wrist an feels fur a pulse. She nods her heid tae me. Ah gets up, ah'm in a dwam. Ah gaes doon the stairs clutchin her bag an oot an intae a wee park opposite. Ah sits fur a while an ah'm imaginin the sand an ah've written Mads oan it an the sea cams in an washes it awa an then ah gets a taxi an says, 'airport.'

Oan the plane ah orders twa gin an tonics. Ah find the fower photys oh the twa oh us frae the photy booth in ma tap pocket. The strangest thing aboot them is wi baith looks sae happy, wioot a care in the wurld. A wuman sittin next tae me says,

'Tha yir girlfrien?'

'Aye,' ah says, 'tha's ma girlfrien aw richt.'

'She's a bonny wee thing.'

'Aye, yi'r nae wrang.'

Ah puts the photys awa carefu.

Aw the ways back tae Glesgae jist wan thing.

'Batnabaw pingpong baw,
batnabaw pingpong baw,
batnabaw pingpong baw,
bat an baw.... pingpong baw.'
ower an ower agin.

Tottal Recall

Ah'm lyin at the side oh the Western Baths at Hillhead dunkin ma han in an oot oh the pool, ower an ower agin an sayin,

'Wet, no wet, wet, no wet,' like some wattery Wittgenstein.

The noise oh aw the kiddies jangles roun the metal an glass.

Ah looks at ma drippin han an ah thinks tae masell ah nearly hiv the answer, ah'm sae close.

Twa wee lassies swims up.

'Hola Sosidge an Mash,' ah says.

Wan, ah think Sosidge, says, 'yi cannie caw us tha, only Mads kin.'

'Could, only Mads could caw us tha,' the ither wan corrects her sister.

'Aye, could, ah meant could,' says the furst wan.

'Sorry,' ah says, 'greetins Sahsa an Masha, twa beautiful watter nymphs.'

They are busy wrappin their taes aroun the bar an stretchin oot floatin oan their backs wi their hans ahint their heids as if they wis sunnin thirsells oan the grass.

'Whit youse daein?' wan asks.

'Poolside philosophy, youse wantin tae dae it an aw?'

'Aye,' the ither answers.

'Ok, watch carefu like,' ah says.

Ah dunks ma han in the watter an brings it oot.

'Is ma han wet?'